B●BOY NOVELS

タフ1 Troublemaker《トラブルメイカー》

岩本 薫
イラスト／高崎ぼすこ

Contents

Characters

神《かみ》蔵《くら》 響《ひびき》

渋谷中央署の刑事。不敵で強引な男。シンゴとは親友だったが、高校三年の夏、無理やりシンゴを抱いて決裂。以降8年間、絶縁状態だった。

神蔵さくら

殉職した響の兄の妻。小料理屋さくらの女将。

春畑 俊

響の後輩刑事。無邪気な青年。愛称、春くん。

平《ひら》間《ま》シンゴ

グラフィックデザイナー。ロシアの血が1/8入っている超絶美人だが、中身はごく普通の青年。響と再会してからトラブルメイカーぶりを発揮する。

タフ Act.1
トラブルメイカー

1

『平間《ひらま》さん、先程オンラインストレージにアップされた入稿用のデータを確認いたしました。いまのところ来週の中程に初校出稿の予定ですが、正確な日時がわかり次第、またご連絡を入れますので、よろしくお願いいたします。ひとまずお疲れ様でした』

「お疲れ様……す」

東芸《とうげい》印刷の営業マン高橋《たかはし》さんとの通話を切った――とたん、俺は右手のスマホごとアーロンチェアの座面からずるずるとずり落ちた。そのままフローリングの床にごろんと転がる。

(腰と背中が……やば……い)

まる二日間、不眠不休で仕事机に張りついていたせいで、完全に腰が固まっている。限界を越えた酷使に抗議するように、背骨がギシギシ悲鳴をあげ、閉じた瞼の下の眼球も熱を持ってひりひり痛む。

……ああ、でもこれでようやく眠れるんだ。机に突っ伏して十分とかの仮眠じゃなくて、きちんとベッドで、布団の中で……。つか、もうここでこのまま寝てもいいんじゃね?

あ、でも寝落ちする前に胃になんか入れとかないと。最後に固形物を口にしたのいつだっけ?

たしか一昨日の昼に出前のピザを取った。それ以降は、出前すら取る余裕がなくて、ミネラルウォーターで空腹をしのぎ続けて現在《いま》に至る……ってことは二日間水だけってこと？　それはさすがに血糖値がやばい。

（けど起きてなんか食うの……たりぃ）

エビのように丸まった体勢で、俺——平間シンゴは深いため息を吐いた。ちなみに現在二十六歳で、仕事はフリーランスのグラフィックデザイナー。

デザイナーと言えばシャレオツなカタカナ職業だと思われがちだが、その実体は修羅場《しゅらば》と徹夜は漫画家と双璧のガチ肉体労働者。おまけに俺は明日をも知れぬフリーランスで、しかも独立して日の浅い駆け出しの身。せっかくオファーしてもらった仕事を断るなんてマネは、親の葬式とでもカチ合わない限り無理。

飛び込みのわりにギャラが安くて手がかかって、スケジュールは鬼のごとくタイト。そんな悪条件の集大成だった今回の仕事も例外じゃないわけで……。

それにしたって今回はもろにレギュラーとバッティングしたもんなあ。大体、道とか銀行とかの例に漏れず、月末は入稿も混むんだよ。そんなんジョーシ……キ？

（うわっ！）

ほとんどフェイドアウトしかけていた意識が一気に覚醒した。がばっと半身を起こし、右手のスマホを見る。二時四十分!?　うおー、あと二十分しかないっ！

飛び起きた俺は、床に転がっていたバックパックをひっ摑むやいなや、玄関に向かって突進した。スニーカーに足を突っ込み、ドアから外へとまろび出た瞬間、襲いかかってきた熱風にくらっと立ち眩《くら》みを覚えたが、ここでへばっている場合じゃない。若干もつれがちな脚で、エレベーター目指してダッシュをかける。

予想どおり――というかそれ以上。月末に週末が重なった明治通《めいじどお》り沿いの店舗外ATMは、普段の倍近い列を作っていた。

くねくねと蛇行した列の最後尾に並んで、ほっと一息。汗を拭いつつスマホを見れば、二時五十分。

一、二、三……自分を入れて十人か。ATMは三機。一人三分として、なんとかギリギリセーフってとこ？

今日中に振り込まないとまずいのは……カメラマンのギャラは週明けに回すとしても、印刷会社は今後の信用に関わるからマスト。とりあえず振り込みだけ三時までに済ませれば、あとは家賃分のキャッシュを引き出して……にしても遅いな、前のリーマン。何件振り込んでんだよ……はあ、やっと終わった……うっ、次はご老人か。いちいち操作手順を声に出して復唱してるし……いやいや、たしかに振り込み詐欺とか気をつけないとな。うん……でも慎重なのはいいことだけど、操作が終わり次第すみやかに次に譲《ゆず》っていただけるとありがたいです。

とかなんとかヤキモキしている間も、列は亀の歩みのようではあったが少しずつ前進して、タイムリミットの三分前に、俺はATMと向き合うことができた。

手早く印刷会社への振り込みを完了し、家賃分と当座の生活費を合わせて二十万のキャッシュを引き出した——まではよかった。キャッシュカードと一緒にペロリと吐き出された残高証明をチェックして、思わずその場にしゃがみ込みかける。

残高二千三百二十九円。まさかの四桁《けた》！

いまどき小学生の通帳だって五桁はいってるよな。

「はあぁ……」

気の抜けた嘆息しか出ない。残高証明を手に魂《たましい》を飛ばしていて、ふと背後からの視線を感じて振り向くと、長髪のお兄さんが睨《にら》んでいる。あ、スミマセン……いま退きます。

あわててキャッシュを銀行の封筒に突っ込んでその場を離れ、隅っこまで移動してから、その封筒をバックパックにしまった。念のためにインサイドポケットにしまい、チャックをきっちり閉めて、右肩にかける。ショルダーを二本まとめて握って、ハイこれで万全。

先週マンションの管理人さんも言ってたもんな。

——いやね、このあたりもタチの悪い輩《やから》が増えて物騒になりましたよ。先日も六階の林《はやし》さんが若いの数人に囲まれて、オヤジ狩りっていうんですか。有り金を奪われたらしいですよ。平間さんはオヤジじゃないけど、ほら、女の子みたいなやさしい顔立ちをしているし、それに細いから……変なのに絡まれないよう気をつけてくださいよ。

（格差社会ってことかね）

このあたりは地価が高いから、住んでいる人は富裕層が多いけれど、遊びに来たり、ショップで働いている若者のほとんどは、いわゆる低所得者。残高四桁の俺だって、まったく全然他人事じゃない。事務所兼住居として神宮前《じんぐうまえ》に住んではいるものの、その実ワーキングプアそのものだ。

（来週中には先々月分の入金があるはずだから、それまでは手許のキャッシュでなんとかしのいで……）

冷房のせいだけじゃないお寒さを抱えて、店舗外ATMの自動ドアから外に出た。

一転、八月の強烈な日差しが目に突き刺さる。数歩でTシャツの背中にじわっと汗が滲《にじ》んだ。

（二徹《にてつ》にこの熱波はきっついぜ。サングラス持ってくりゃよかった）

湯気が立つほどに熱したアスファルトの上を、ブランドショップの袋を肩に、かったるそうに歩く少年、少女たち。

夏休みシーズンの原宿《はらじゅく》・渋谷《しぶや》は、とにかく地方から遊びに来た若者が多い。だが、ここ最近はそれを凌駕《りょうが》する勢いで外国人ツーリストが増えた。中国本土、台湾、韓国、タイ、中近東などのアジア圏を筆頭に、アメリカやヨーロッパからの観光客も目に見えて増えてきている。

行き交う人たちの言語も多岐にわたっていて、一瞬、自分のほうが異邦人なんじゃないかという錯覚に陥《おちい》ってしまうこともままあるほど。

今日も今日とて何組かの外国人グループとすれ違ったところで、路上駐車された真っ赤なワゴンが目についた。毎日定位置でケバブサンドを売っているワゴンの前には、小腹を空かせた少年、少女たちの小さな列ができている。

（……うまそう）

漂ってくるスパイシーな匂いに急激な空腹を覚え、フラフラとワゴンに吸い寄せられかけた俺は、寸前で踏みとどまった。まる二日空っぽだった胃にいきなり香辛料満載のケバブは刺激が強すぎる気がする。やっぱ弁当あたりが無難《ぶなん》だよな。揚げ物こってり系じゃないやつ。

軌道修正して行きつけの弁当屋に向かうことにした。明治通りから一本裏道に入っただけで、人通りが激減する。とりあえず前後左右に人影はなし。

大金（俺にとっては）を持ち歩いている緊張感がほっと緩んだ。

なんの弁当にするかな。手堅く焼き魚か、生姜焼きもいいな……などと考えていると、後方からバイクのエンジン音が近づいてくる。道幅が狭いからと左端に寄った瞬間、右肩にどんっと強い衝撃を受けた。それも腕が引きちぎられそうなハンパない衝撃！

「………っ」

後ろから来たバイクの運転手に、肩にかけていたバックパックをひったくられたのだと気がついたときにはもう、俺はすっ転んでいた。脊髄反射で摑んだショルダーごと、バイクに引き摺られる。

「うわあああっ」

アスファルトに摺れた脇腹と太股がめちゃくちゃ熱くて悲鳴が飛び出た。俺を引き摺っていることに気がついているだろうに、バイクはまるで失速する気配がない。俺のほうも死んでも離すもんかと歯を食いしばったが、脇腹と腕の激痛に耐えかね、十メートルちょいで無念のリタイア。

ガクンッ！

ショルダーから手を離した反動でゴロゴロと横転し、俯《うつぶ》せの体勢で止まって顔を上げる。数メートル前方——走り去るバイクが見えた。赤いヘルメットに黒いTシャツの男。男の左手に握られた俺のバックパックがはためいている。

（くそっ!! 持っていかれてたまるか！）

起き上がった次の瞬間には走り出していた。いま現在のポテンシャルとしてはベスト以上の走りで。だがそれは、あまりに勝算のない無謀なチャレンジだった。

案の定、距離を詰めるどころか秒速で突き放される。遙か先で左折したバイクがあっさりと視界から消えた。とたんに足がふらついて蹴躓《けつまず》き、アスファルトに倒れ込みながら雄叫びをあげる。

「ざけんなあっ！ 俺の二十万返せー!!」

けれど悔しさと痛みと失望がごちゃ混ぜになった絶叫に応答はなく——。

わずか三分に満たない時間で、俺は全財産とも言えるすべてを失ったのだった。

「平間シンゴ。二十六歳。えー、住所は渋谷区神宮前七の十五の……リベルテ神宮前七〇八と。職業はデザイナー」

そこまで読み上げた中年の警察官が、調書から顔を上げた。正面の俺の顔を見据え、なにやら不可思議な物体を眺めるみたいに視線を上下させる。

最寄りの派出所から駆けつけた警察官による現場検証に立ち会ったのち、ひったくり現場の担当所轄だと連れて来られた渋谷中央警察署。その十四階建てのビルの二階のはじっこで、俺は簡易テーブルを挟み、後退した頭頂部に玉の汗を浮かべた五十がらみの警察官と対峙《たいじ》していた。

「あー、シンゴっていうのはカタカナでいいのね。ひょっとして外国の人？」

「いえ、違います」

「あ、そうなの？　外国の俳優さんみたいな顔しているからさ。目も明るい灰色だし……それ自前？」

「はい」

「色つきのコンタクトとかじゃなくて？」

「違います」

否定しても、どこか腑《ふ》に落ちないといった顔つきで、警察官は俺をじろじろ見る。

友人知人はおろか親族にまで、年齢および国籍不詳・性別不明のレッテルを貼られ続ければ、中身はさておき容姿に限っては、どうにも規格外らしいとさすがに自覚する。

八分の一混じる東スラヴ人の血の為せるわざか、ガキの頃はもっと色素が薄くて髪は銀髪に近かった。いまでも髪も目も、一般的な日本人よりはかなり明るい。肌もなまっちろくて、中・高時代は「陶磁器の肌理《きめ》と白さ」と学友たちの絶賛を浴び続けたものだ（注：男子校）。まつげの長さに至っては、いまだかつてどんな女子にも負けたことがない。が、故《ゆえ》あるロシア語はおろか、英語すらおぼつかない俺にとっては、日本人離れしたルックスなんて百害あって一利なし。ただのコンプレックスでしかない。

露骨《ろこつ》な好奇の眼差《まなざ》しに、腹の中でため息をついていたら、ゴホンとわざとらしい咳払いが落ちた。

「それであれかな？　仕事は洋服を作る人？」

「洋服のほうも同じデザイナーなんですけど、俺とはちょっと分野違いっていうか。俺は、駅とかに貼ってあるポスターを作るほうです」

「ああ……ポスターの絵を描く人ね」

「違います。絵を描くんじゃなくて」

「じゃあ写真？」

「それも違います」

悲しいかな俺は、自分の職業を説明してすんなり理解された経験がほとんどない。写真を撮るカメラマンや絵を描くイラストレーターと違って、デザイナーの仕事は素人《しろうと》さんに説明するのが難しいのだ。まずはディレクションやレイアウトっていう概念から説明しなければならない。

要するに写真やコピーという素材を料理するシェフみたいなもんで——とか言ったところで、このおっさん、理解できねーだろうな。

めんどくさくなって黙っていると、警察官の俺を見る眼差しが、素性の怪しい犯罪者を見る目つきに変わってきた。

いやいや、だからこっちは被害者なんだってば！

なけなしの二十万を奪われた上にバイクに引き摺られた脇腹と太股はヒリヒリ痛むわ、結局メシは食いっぱぐれるわの散々な仕打ちを受けた身の上で、さらに容姿や稼業についてあれこれ探りを入れられ、不審がられる筋合いはないはずだ。

ちょっと異質なルックスでわかりづらい職業だからって、断じてないはずだ！

そう叫んでテーブルをバンバン叩きそうになるのをぐっと堪《こら》える。

そもそも、派出所でも簡単な聞き取りに応じたから、これで二回目。なのに、脱線ばかりで遅々《ちち》として進む気配のない調書に疲れ果て、俺は脂でテカッた前頭部から目を逸《そ》らした。気分転換に視線を転じ、フロア全体を見渡す。

ざっくり数えただけでも、フロア内の人数は、署員と一般市民、合わせて五十人は下らないだろう。人口過多のせいか、エアコンもいまいち効きが悪い。ひっきりなしに電話が鳴り響き、切々となにかを訴える人の声に混じって時折怒鳴り声も聞こえてきたりもして、なんとも雑然として落ち着かない。

（激混みじゃん）

警察署なんて初めて来たが、世の中にはこんなにたくさんの困っている人がいるってことか。

税金泥棒なんて陰口も聞くけど、意外と大変な仕事なんだな。いやでも、目の前のおっさんの仕事ぶりを見るに、もう少し手際よくやればここまで混まないんじゃ？

混み合ったフロアを観察した結果、そんな感想を持った直後だった。たまたま目を向けた階段に、上階から降りてきたスーツの二人組を捉える。

二人組の右側の男を見て、俺は思わず息を呑んだ。

濃紺のスーツを着た背の高い（なんてもんじゃない。優に百八十五は超えている）男。広い肩幅とスーツの上からも見て取れる充実した筋肉。鞣《なめ》し革のような浅黒い肌。野性味を帯びた立体的な顔立ち。意志の強そうなくっきりと濃い眉の下の、黒々とした瞳。漆黒の双眸《そうぼう》から放たれる鋭い眼光。

間違いない――というより、見間違えることが不可能なほど、それは記憶にしっかり焼きついた顔であり、体格だった。

「響《ひびき》!?」

予想だにしなかった人物が視界に飛び込んできた数秒後、俺は立ち上がって叫んでいた。

あとになってこのことを海よりも深く後悔したのだが、思うに、このときの俺はまともな精神状態じゃなかった。

二徹後の修羅場明けという最悪のコンディションに加え、情け容赦のない肉体と懐《ふところ》へのダメージ、さらには初めての警察署という非日常の空間が俺のテンションを爆上げし、正常な判断力を根こそぎ奪っていたのだ。

でなきゃあいつの姿を見つけて嬉々《きき》として呼び止めるなんて！　自分から地獄の釜の蓋《ふた》を開けて顔を突っ込んじゃうに等しい愚行を犯すなんてあり得ない！　二十六年も人間やってりゃ魔が差すことだってあるだろうけど……それにしたって……ギリギリギリ。

とにかく、俺は呼び止めてしまった。

俺の声に振り返った男の浅黒い貌《かお》に、明らかな動揺が走ったのも、この目でしかと見た。

男が、虚《きょ》を衝《つ》かれたように見開いていた目を、やがてじわじわと細める。

眉間にくっきりと縦皺を刻み、しばらく射るような眼差しを俺に向けていたが、不意に方向転換したかと思うと、こちらに歩み寄ってきた。大股であっという間に距離を縮め、簡易テーブルの側に立つ。そこに立つだけで威圧オーラを放つ大男が、無言で俺を見下ろしてきた。

「…………」

上空から睥睨《へいげい》され、ぴくっと肩が揺れる。

(なにガンたれてんだよ?)

反射的に睨み返した俺の前方で、警察官が「あれ？」とすっとんきょうな声を出した。

「神蔵《かみくら》刑事、お知り合いですか？」

「けっ……？」

刑事だあ!?

正直、それまで、俺はその可能性に一ミリも思い至っていなかった。

よりによってこいつが刑事だと!?

(嘘だろ……)

あんな極悪非道三昧《ざんまい》の果てにどのツラさげてデカになった!? と思って再度見直すと、案外悪びれない顔つきでこちらを見下ろしている。すでに先程垣間《かいまみ》見せた動揺は浅黒い肌に吸収され、鉄壁のポーカーフェイスに、心情を探る手がかりはなに一つ残されていなかった。

「あんた……神蔵さんと知り合いなの？」

前方からの問いかけに視線を転じ、禍々《まがまが》しいものを見るような目をした警察官を認める。こっちの回答を待たずに、警察官は「それならそうと早く言ってよ」と顔をしかめた。

俺にだけ聞こえるような小声で「くわばら、くわばら」とひとりごちて首を縮める彼の手許から、大きな手が調書を取り上げる。一瞥して、ふんと唇を歪め、警察官に戻した。

「財布でも落としたか」

八年ぶりの第一声がコレだ。うれしそうな顔されても迷惑だけど、せめて「ひさしぶり。元気そうだな」くらいのお愛想言ってみろよ。……元気じゃないけど。

「いいえ、ひったくりです。ここ最近頻発しておる、背後からバイクで近づき、バッグ等をひったくって逃走する手口ですな。被害総額は締めて二十一万五千六百飛んで三円。奪われたバッグの中身は、読みかけの文庫本、部屋の鍵、イヤホン、ハンドタオル、ティッシュ……」

突如しゃきんと背筋を正した警察官が読み上げる「ついさっき失った全財産」の内訳を耳に、俺はこの世でもっとも再会したくなかった男の顔を睨みつけていた。

「それで？　なにが入ってたって？」

スーツの上着のウェスト部分から胸にかけてをぽんぽんと手で探りつつ、低音がおざなりに問う。ようやく目当てのものを見つけたらしい（名刺によるところの）「渋谷中央警察署　生活安全課一係　神蔵響警部補」殿の手が、内ポケットからマルボロの赤いパッケージを取り出した。一本抜き出し、ジッポーで火を点《つ》ける。

場所は先程までの簡易テーブルから移動して、パーティションで仕切られたスペース。頭頂部が広めの警察官も退場して、入れ替わりに俺の前に私服の刑事が二人。

響とは対照的にほっそり小柄な青年は、この春刑事に昇進したばかりのルーキーだそうで、いただいた名刺によれば春畑《はるはた》俊《しゅん》くん。初対面でも思わず「くん」づけしたくなっちゃうような童顔の持ち主で、さっきから俺の顔をちらちら横目で窺《うかが》っては、目が合うとなぜかすっと逸《そ》らす。シャイなのか？

それにしても、本当に刑事ってコンビで動くんだな……なんて腹の中で思っていたら――。

「灰皿」

偉そうな上司の一声に、あわてて腰を浮かせてテーブルの端から灰皿を引き寄せたりして、相棒ってよりは舎弟って感じだけど。

（こうやって人を顎《あご》で使うところ、全然変わってないな）

思い出したくもなかった過去の記憶と照らし合わせ、眉をひそめていると、響が春くんを見て苦笑を浮かべた。

「ビビるなって。こいつのは見かけ倒しだからな。突然ガイジンになったりしない」

春くんがぽっと赤面する。……なんだなんだ？

「見た目はこんなだが、中身はどうってことないどこにでもいるただの日本人だ。安心しろ」

ひとをずいぶんな言い種《ぐさ》で評したかと思うと、次に俺に向かって後輩のフォロー。

「着任早々デリヘルの摘発に駆り出されて、そこで働く不法滞在の外国人に嚙みつかれたのがショックだったらしくてな。それ以来、外国人恐怖症気味なんだ」

へー、生活安全課って風俗関係も守備範囲なんだ。

感心する俺の前で、響が片眉を持ち上げる。

「正確には……ロシアの血が少し混ざってるんだったな」

「父方のひいじいさんがロシア人だから……八分の一だけ」

なのに、なぜか俺にはスラヴの血が濃く出た。親父も妹もどちらかと言えば純和風な顔立ちだから、先祖返りなのは身内でも俺一人だけだ。

上目遣いに俺を見た春くんが、納得したのかこくりとうなずき、それ以上の好奇心を自制するかのように居住まいを正す。

正直、あまり掘り下げたくない話題だったからほっとした。

「──で？　やられたのは財布だけか？」

雑談はここまでということか、警察官の本分に立ち返ったらしい響が、冒頭の問いを反復する。

神妙な面持ちでペンを構える春くんを見て、俺も心持ち姿勢を正した。

「財布と部屋の鍵。あとＡＴＭで下ろしたばっかのキャッシュ二十万」

「財布の中身は？」

「現金のほかに、銀行のキャッシュカードとクレカが一枚ずつ。どっちも連絡して止めてもらった。それと免許証」

「免許記載の住所は神宮前のここか？　おまえ、たしか実家は杉並《すぎなみ》だったよな」

「そう。でも去年の夏にいま住んでるマンションに越して、本籍も移したから、免許に記載されている住所は神宮前」

俺の説明が終わると、響は顎を節ばった指でガリガリと掻き始めた。

そういやコレ、こいつの癖だったな。なにか気に入らないことがあるとコレが発動して、きっかり三十秒後に問答無用で手が出る。だから身に覚えがある後輩は、コレが始まるやいなやダッシュで逃げ出したもんだった――。

が、今回に限っては三十秒待っても拳《こぶし》が振り回されることはなく、代わりにマルボロの吸い差しが灰皿に捻り込まれた。

少しは成長したってことか。こんな野蛮人にも一応は学習能力が備わっていたらしい。とりあえず身近な人間にとっては喜ばしいことだ。

もっとも、この場限りの俺には関係ないけど。

「この神宮前の部屋は賃貸契約か？」

「決まってんだろ」

不動産買えるように見えるか？　と問い詰めたかったが、墓穴なのでやめる。

「……となると、鍵の交換も面倒だな」

少し考えた。たしかに。ドアノブごと交換しなきゃならないだろうし。

「大家さんと管理人さんに相談してみるよ」

一考したのちにそう答えると、響はパイプ椅子に背を預け、思案するみたいに腕を組んだ。なにか気の利いたアドバイスでもあるのかと期待して待ってみたけど、そのまま空を睨んで無言。

どうやら質疑応答前半戦は終了らしい。ならばこっちの番だ。

「なあ……こういったケースで現金が戻ってくる可能性ってどのくらい？」

「ゼロ」

非情な台詞《せりふ》をクールに吐く。……この野郎。

お門違いとわかっていても、つい睨みつけそうになる。

「犯人が捕まっても？」

「相手に支払い能力がなければ、それまでだ」

「まじかー」

がっくりと項垂《うなだ》れた。まがりなりにもプロにこうもはっきり明言されると、一縷《いちる》の望みも断たれ、改めて喪失の実感が込み上げてくる。

ああ……まさに血と汗と涙の結晶であった俺の二十一万五千六百飛んで三円。

失ってから思い知る、おまえが俺にとってどんなに大きな存在だったか……。

露骨に意気消沈したせいだろう。響がめずらしくやさしい声を出した。

「なにに使うための金だったんだ？」

「家賃と生活費」

「なんで口座振り替えにしとかないんだ」

一転、苛立《いらだ》った低音で凄まれる。

うっせーな。んなの勝手だろ？

イラッとしたが、これも調書の一環だと思い直して事情を説明した。

「大家が親父の古くからの知り合いで、それもあって破格の家賃なんだよ。ただ一つの条件が、家賃を手渡しすること。大家さん、同じ神宮前に住んでるからさ」

「……大家は女か？」

「七十過ぎの姉妹だけど？」

肉感的な唇の片端を持ち上げた響が「なるほどな。月一の目の保養ってわけか」とほざく。そのしたり顔を見たとたんにカッと頭に血が上り、俺は怒鳴りつけていた。

「笑うな！　銀行の残高四桁だぞ！」

怒鳴ったあとで、大声で主張する内容でもなかったと臍《ほぞ》を噬《か》んだけど、それなりに感じ入るものがあったのか、響はいけ好かない笑いを引っ込めた。少しの間、何事かを思案するかのような表情を浮かべていたが、おもむろに椅子を引き、ゆらりと立ち上がる。

「春、続きやっとけ」

相棒に低く告げて踵を返した。パーティションから出ていく大きな背中を見送り、俺はひとりごちる。

「あいつ、どこ行くんだ……？」

取り残された俺と春くんは無言で顔を見合わせた。俺が肩をすくめると、春くんは困ったみたいな表情を浮かべ、ペンのお尻で頭を掻く。

「相変わらずだな、あいつ」

「あの、神蔵さんとは古いおつきあいなんですか？」

遠慮がちな小声で尋《たず》ねられた。彼が声を発したのはこれが初めてだ。童顔に合った柔らかいトーン。なるほど響が「凄み役」で、彼は「なだめ役」か。上手くできている。

「中・高一貫教育の学校で一緒だったんだ。全寮制の男子校でさ。響とは寮で同室にもなっちゃって……」

やつがどう思っているかは知らないが、俺にとっては人に語るのもはばかられる黒歴史。

高校卒業と同時にガムテープでグルグル巻きにして、制服もろとも粗大ゴミに出したつもりだったのに——八年のブランク三秒で一蹴して、あっさり馴《な》れ馴《な》れしくしやがって。

(こだわっていたのは俺だけってことかよ？　くそ)

「平間さん？」

ムカムカしていたら名前を呼ばれる。顔を上げると、春くんが気遣わしげな眼差しを俺に向けていた。

（そうか）

俺がかつて味わったあの怒濤《どとう》の日常を、彼は「なう」体験しているわけか。気の毒に。

乗り越えた自分に対する小さな優越感に背中を押され、つい先輩風を吹かせた。

「わかる。わかるよ。まったく他人事とは思えない。先輩としてアドバイスするけど、いまはとにかく我慢するしかない」

春くんがつぶらな目をパチパチさせた。いま気がついたけど、ちょっと彼、ハムスターに似ている。癒やし系だから響にあてがわれちゃったのか。そう思うとなお一層不憫《ふびん》さが募る。

「辛抱していれば遠からず、離れられる日がやってくるから」

「平間さん？」

「なんで自分が？　って理不尽に感じるかもしれない。俺も思った。けどさ、もうね、結局さ、これも自分が成長するための試練だって割り切るほかないんだよ」

「離れられるって、神蔵さんのことですか」

ほかに誰がいるって言うんだ。

諸悪の根源、歩く理不尽、吠える大魔神――神蔵響以外に！

「やんちゃしてた高校卒業から八年も経《た》ってるんだから、少しは分別もついて落ち着いているかと思いきや、相変わらず強面《こわもて》バリバリで不遜で。あんなふうに年輩の警察官までビビらせてさ」

「たしかに先輩は署内の人事に関心がないみたいで、上にも追従しませんし、同期とも群れないから……上層部や古参《こさん》の警察官には煙たがられている節もありますけど」

抑えた口調で静かに語った春くんが、「でも！」と語気を強めた。

「自分は先輩のこと、尊敬しています！」

（あ？）

口を半開きにする俺をまっすぐ見つめ、春くんが実直そうな表情で言葉を継ぐ。

「刑事としての勘の鋭さ、洞察力、考察力、上からの指示をただ遂行するだけじゃなくて独自の判断で行動できるところとか、憧《あこが》れます。ぼくも最終的には先輩みたいに、自分なりの捜査哲学を持った刑事になりたいです。もちろんいまはまだ、足手纏いにならないようにするだけで精一杯ですけど」

独自の捜査哲学って――それ、ただ協調性がないだけじゃないの？

そう思ったが口には出せなかった。あまりにも春くんの目がキラキラ輝いていて……。

あー、はいはい。生真面目な人間に限って、無軌道な生き様に弱いパターンですね？

そういや学生のときもいたわ。なにを血迷ったか、神蔵響ファンクラブとか作っていた下級生。

当人にえっらく邪険にあしらわれて、それでも健気《けなげ》に尽くしていたっけ。

ああいう男に思い入れてもねえ。報われないと思うけど。

俺の憐憫《れんびん》の眼差しに気がついたのか否か、春くんは熱く語ったことを恥じ入るみたいに顔を赤らめた。調書に視線を落として数秒後、ふたたび顔を上げる。

「あの、前に神蔵さんが……」

「響が？」

「交通課に渋谷中央署のマリリン・モンローと評される婦警がいるんですが、その彼女が神蔵先輩にぞっこん入れ上げていってですね」

「マリリン……」

って、いつの時代？　そのあだ名つけたの間違いなく五十オーバーのおっさんだろ？　でも春くんの「ぞっこん入れ上げて」も大概《たいがい》な気がする。さっきから思ってたけど、いまどきヘビースモーカーな響といい、全体的に昭和なんだよなあ。

俺が渋谷中央署と世間との著《いちじる》しいズレを案じている間にも、春くんの解説は続く。

「先輩はあれだけの男前で背も高く、しかも独身ですから、ひそかに憧れる女子署員は多いわけですが、彼女の場合は、それはもう周囲が引くほどあからさまなアプローチでして……。ですがどんな体当たりアタックにも先輩はスルーに次ぐスルーで、実にそっけない塩対応なんです。『そう見せかけておいて裏でマリリンとよろしくやっているんじゃないか』なんて言う者もいますが、でもぼく寮で先輩と隣部屋なんで、それはないって断言できます」

「隣部屋とはまたお気の毒に……」

春くんの話の行く末がさっぱり予測できず、余計なことをつぶやいてしまった。

「それでしまいには、『あいつ、実はゲイなんじゃないか』なんて陰口までまことしやかに流布《るふ》される始末で」

「…………」

この場合、当人の与り知《あずか》らぬ「陰口」っていうのがミソなんだろう。あいつがそんなデマを流されて現職の刑事でいられるわけがない。二、三人は確実に病院送りにして懲戒《ちょうかい》免職は必至だ。

「それでぼく、思い切って先輩に訊《き》いたんです」

訊いたって、ゲイなんですかって!?

（春くん。そりゃいくらなんでも直球すぎ……！）

「そうしたら……」

「そ、そしたら？」

ごくっと唾を呑み込んで続きを待ってしまった俺も俺だ。いやだって春くんってば、顔に似合わずなかなかどうして際どいネタを隠し持っていて。

「『おそらく自分は美醜《びしゅう》に反応するセンサーが麻痺しているんだ。学生時代のクラスメイトに行く末哀れなほど顔が整ったやつがいて、そいつを間近で見すぎたせいか、めったなことじゃ反応しなくなった』――と」

「……はあ!?」

待てよ、それって結局は肯定も否定も……肝心なゲイ疑惑にまるで触れてないじゃん！

おいおい、虎穴《こけつ》に飛び込んだからには、上手いことはぐらかされてる場合じゃないだろ？

期待が大きかった分、肩すかしを食らった気分で、俺は憮然《ぶぜん》とした。一方の春くんは、言いたいことを言い切った満足感を、小動物めいた顔に浮かべる。

「先輩が言っていた『行く末哀れなほど顔が整ったクラスメイト』って、平間さんのことだったんですね」

（……ド天然）

忘れていた疲労感がどっと押し寄せてきて、俺は椅子の背に凭《もた》れて天を仰いだ。

そんなの、やつお得意の詭弁《きべん》に決まってるじゃんか。なーにがめったに反応しないだ。誓ってもいい。そのマリリンちゃんとやらはすでに百パー食われてる。

まったくもってオメデタイと言おうか、平和っていうか昭和っていうか……。

その最たる象徴であり、たったいま天然であることが判明した春くんに、それでも俺はにっこり微笑んでみせた。

どーせ俺は行く末哀れなほど顔が整ってますよ。学生時代は野郎にモテモテだったよ。

警察官たらし込んで財布とキャッシュが戻るなら、なんだってやってやる。こんな顔、ほかに使い道もないしな。

下心たっぷりに微笑みかける俺に、律儀に赤面してくれた春くんが、コホンと咳払いをしてペンを取り直した。お、どうやら調書を再開するらしい。

「ATMで現金を引き下ろしたあとで被害に遭《あ》われたんですよね。後ろから尾行された気配とか、不審な人物には気がつきませんでしたか」

「うーん、夏休みで明治通りは普段より人通りが多かったし、裏道に逸れてからも一応周囲に気を配っていたんだけど、バイクが来るまでは特に変な感じはなかった」

「バイクのナンバープレートは見ました？」

「とっさでこっちもパニクっていたから、はっきり覚えてないんだ。でも、たぶん真っ白だったと思う。数字や字を見たら、なんらか記憶に残っているはずだし」

ナンバーを隠してあったんですね、と春くん。たぶんね、と俺。

「ATMではどうでした？　周囲に気になる人物は？」

「リーマン、OL、普通の主婦、ご老人とかで、特に印象に残るような人はいなかった」

「背後の人間は覚えていますか？」

問われて思い出した。謝ったときに睨み返した長髪の兄ちゃん。

黒のロン毛。色黒。張り気味のエラ、眉は太くて目は細くて切れ長、ちょい獅子鼻、口は薄く横に長い。左耳にピアスが二つ。身長百八十二から四くらい。痩せ型。猫背気味。

俺が男の風貌を口述すると、春くんは驚いたように目を瞠《みは》る。

「よくそんなに詳細に覚えていますね。以前にも見かけたことがあったんですか？」

そうじゃないけど昔から人の顔は忘れないんだ、と俺は言った。

もともと視力だけはいいのもあるんだけど、俺には一度見た顔や骨格を克明に記憶してしまう妙な特技があるのだ。

美大でデッサンを学んでなおのことヴァージョンアップしてしまった感もあり、いまはこの「形状記憶能力」（と勝手に呼んでいるんだけど）で、大抵の芸能人や有名人の変装を見破ることができる。実際、一時期失業中だった折には、即席パパラッチにでもなって糊口《ここう》をしのぐかと、真剣に思い詰めたほどだ。

語るにつれて、春くんの目がますます見開かれた。半信半疑なのが、その顔からは見て取れる。

「では、その平間さんの能力を以《もっ》てして、バイクのひったくり犯と銀行の長髪の男は同一人物だと思われますか？」

完全に信じてはいないまでも、上司の元クラスメイトへの気遣いか、一応そんなふうに訊いてくれた。

しばらく二つの記憶を脳内で比べたのちに、俺は首を横に振る。

ひったくり犯の背中は筋肉質で肉厚な感じだった。肩幅も長髪より広かったし、全体的にもっとがっちりとしていた。

「別人だと思う」

「そうですか」

「別人だとしても、長髪がバイクの男とグルっていう可能性はあるのかな？」

「この数ヶ月、うちの署轄内で今回の件と類似したケースが多発しているんです。被害者が利用した銀行やＡＴＭはそれぞれ異なりますが、手口からいって同一犯である可能性は大です。おそらく犯人は二人組以上のグループでしょう。犯行を重ねていくに従い、単独犯では面が割れるリスクが大きい。銀行内でヘルメットは着用できませんから」

「二人組の片割れがＡＴＭで多額の現金を下ろした人物を物色して、外で待機しているバイカーにターゲットの外見の特徴をメールで知らせる。ターゲットが外に出てきたら、バイクがあとを追い、頃合いを見計らって現金入りのバッグをひったくる……ってこと？」

まさに自分がやられたパターンだ。くっそ、まんまとやられた。今更ながらに怒りがふつふつと込み上げてくる。

俺の推測にうなずいた春くんが、表情を改め、畏《かしこ》まった口調で告げる。

「平間さん、絵を描くお仕事ですよね。後日モンタージュ作成に協力していただけませんか？　完成したモンタージュと、ATMの監視カメラを照合してみます」

絵を描くお仕事とはちょっと違うんだけど、もちろん快諾した。

どんなに不確かで曖昧《あいまい》な情報であれ、可能性の芽を地道に一つずつ当たっていくのが捜査の基本というものなんだろうし、現金は諦めたにせよ、部屋の鍵と免許証を質に取られている状況で油断は禁物。俺としても一刻も早く犯人逮捕の朗報を聞きたい。そのための協力は厭《いと》わないつもりだった。

「――進んだか」

と、そこに背後から低音が投げかけられる。振り返ると、いつの間にパーティションの中に入ってきていたのか、スーツの長身が立っていた。

上司の問いかけに、春くんが「はい」と答える。響が鷹揚《おうよう》に「よし」とうなずいた。

(えっらそうにっ)

肝心な部分を部下にまる投げして、おまえはどこほっつき歩いてたんだよ!?

文句の一つも言ってやろうと腰を浮かした瞬間だった。テーブルの側面に回り込んできた響が、白い封筒をぽんっと置く。「なにこれ？」と訊く俺に、中見ろよってなジェスチャーで顎をしゃくった。手に取ってみれば、けっこうな厚みがある。封筒を開けて中身を引き出して、うっと息を呑んだ。

万札の束！

「二十万ある。利子は取るぞ」

照れ隠しなどではなく、本気で取るぞ、といった不遜な顔つき。

「おまえ……この金どうしたんだ？」

俺が感謝するどころか疑わしげな声を出したせいだろう。響が渋面《じゅうめん》を作った。

「公務員舐めるな。俺だって人に貸す二十万くらいの余裕はある」

傲慢《ごうまん》に言い放ち、左手のごつい腕時計を見る。

「七時三十二分。この時間ならバアさんたちもまだ寝ちゃいないだろ？　いまから大家に家賃払ってこい」

春くんも、「今後のことを考えたら、今日中に払ったほうがいいですよ。家賃の滞納は信用問題にかかわりますし」と上司を後押ししてくる。

（どうする？）

二十万を前にして、俺は迷った。

こいつに借りを作るのはいやだ。めっちゃいやだ。ものすごーく本意じゃない。

だけど感情面を脇にどければ、家賃どころか明日からの生活すらおぼつかない現実が目の前に立ち塞がっている。

来週になれば入金がある。たった二、三日のことだ。それですぐチャラにできる。

（よっしゃ、ドーンと利子つけて返したる！）

「わかった。……ありがたく借りるよ」

面と向かって「ありがとう」とはどうしても言えない俺の心中なんてお見通しだとでもいうように、響は片眉を上げただけでそれに応じた。不敵な表情が、たいしたことじゃないさ、と言っている。

とたん、腹の底からやるせない気分が込み上げてきた。

「乗り越えた自分に対する小さな優越感」に背中を押され、春くんに偉そうにアドバイスを垂れたのはほんのついさっきなのに、その実まったく達観できていたわけでも、過去を封印できていたわけでもない自分に気づかされて――。

古傷をいつまでもくよくよと未練がましく温存していたのはこっちだけで、こいつはそんなものとっくのとうに忘れ去っていて、俺との再会もちょっとしたハプニングにすぎなくて……。

（やめやめ！）

頭を左右に振り、グルグルし出した思考を散らす。

今更こいつのことで落ち込むなんて、まったくもって時間のムダだ。

そんなことより大事なのは家賃。大家さんが寝てしまう前に払うぞ。よし！

モンタージュ作成の件で後日春くんと連絡を取り合う約束をした俺は、急ぎ席を立ち、いつしか暗くなっていた渋谷の街に飛び出した。

2

ひったくり被害から三日後、土日を挟んで週明けの月曜日は、早朝八時から青山《あおやま》のスティールスタジオでの仕事が入っていた。

月一レギュラーの、ティーン向けファッション誌の巻頭特集の撮影だ。

通常、雑誌の仕事はギャランティが低い兼ね合いもあり、撮影はカメラマンと編集者に任せてしまうことが多いのだけれど、巻頭特集だけは特別。

巻頭は表紙と共に雑誌の「顔」だし、スタッフのモチベも高いので、レイアウト構成の見地からものが言える立場の人間として、俺も体が許す限り現場に立ち会うことにしているのだ。

午前中のシューティングが終わると、十二時から一時間のランチタイム休憩が入る。急いで弁当を食べた俺は、スタジオを抜け出した。

最寄りの銀行に駆け込み、通帳を記帳する。四桁だった数字が一気に六桁まで躍進を遂げていた。

（やった！）

これでやつに借りを返せる。新しいキャッシュカードはまだ届いていないので、窓口で二十万を引き出し、銀行を出たところでボトムのバックポケットからスマホを引き出した。

もらった名刺には生活安全課一係の直通番号が書かれていたが、私用の場合はこっちにかけろと、知りたくもなかった携帯ナンバーを教えられていた。

そのナンバーにかけてみたが、出ない。仕方なく、切り替わった留守番電話サービスに『連絡をくれ』とだけ吹き込んでスタジオに戻った。

撮影が終了したのは夜の八時。スタジオを撤収したあとスタッフと食事をして、神宮前のマンションに帰ったのは十一時を回っていた。

スタジオが地下で電波が届かないせいもあってか、響からの連絡はなく、食事中もかかってこなかった。家に戻ってからもう一度かけてみたが、やっぱり通じない。メッセージを再度残すか否か、悩んでやめた。仕事中にあんまりしつこくするのも気が引けたからだ。

二十万返して欲しけりゃ向こうから連絡を寄越《よこ》すだろうし。

朝が早かったせいか、やりかけのレイアウトを三ページ仕上げた時点で襲ってきた睡魔に勝てず、風呂に入って二時には寝てしまった。


翌日は、品川《しながわ》にある印刷会社に出向いての出張校正だった。

スケジュールが押して納品までの日程がタイトだったり、雑誌のようにページ数が多いものの場合、時間短縮のため、編集者や校正者と一緒にデザイナーも印刷会社に缶詰めになることがある。関係者が一堂に集まれば、印刷会社の営業担当が校正を持って各地を回る時間のロスが減るわけだ。

出張校正室に籠もり、刷り立てほやほやの校正紙に各自の赤字を入れるのだが、待ち時間を含めると一日拘束になることもままあって、肉体的にはかなりハードな業務だ。デザイナーは印刷物を最後まで監督してなんぼの仕事だから仕方ないけど。

出張校正の必携道具、赤ペン、定規、色見本帳、ルーペ、タブレットPC《パソコン》、ついでに喉飴《のどあめ》をトートバッグに詰め、エレベーターで降りる。——と、一階のロビーで観葉植物に水やりをしていた管理人さんが、こちらに気づいて軽く会釈《えしゃく》をしてきた。彼の見るからに世話好きそうな顔を見た刹那《せつな》、大切な案件が頭に浮かぶ。

(そうだった!)

スペアキーを使っていて不自由がなかったのと、仕事が立て込んでいたせいで、うっかり失念していた。

「おはようございます。平間さん」

「おはようございます。あの、実はですね。ちょっと面倒な事態になってしまいまして」

俺が鍵と財布を盗られた件を話したら、彼は大仰《おおぎょう》に顔をしかめて大いに気の毒がり、「大家さんの承認さえ得られれば、私が鍵交換の手配はします」と請け負ってくれた。大家さんには話してありますと答えたところ、それならば今日中にも手配しますよ、とのこと。

これで安心だ。

最後の憂《うれ》いが消えた俺は、管理人さんに「よろしくお願いします」と頭を下げた。今度フルーツでも差し入れしよう。

出張校正は予想以上に待ち時間が長く、本物の缶詰めになってしまった。昼飯どころか夕飯まで出前で済ませ、インクの匂いの充満した小部屋で、断続的に運ばれてくる校正紙と向き合うことトータル十時間。すべてを校了して外の空気を吸えたのは、なんと夜の九時。

ずっと目を酷使していたせいか、視界がかすんで頭の片側がズキズキ痛む。

あまりに疲労困憊《こんぱい》していたので、ちょっと贅沢《ぜいたく》をしてタクシーを使い、マンションの前で降りた。例のバイクに引き摺られた際の打ち身が、まだ完全に治っていないせいもある。擦り傷はだいぶ薄くなったけど……。

エレベーターで七階まで上がり、辿り着いたドアの新聞受けには、二つ折りの紙が挟まっていた。開くと、年輩者らしい達筆で、【鍵の交換は明日の午後になるそうです】。管理人さんからのメモだ。早速手配してくれたらしい。

明日の午後ってなんか予定入ってたっけ？　脳内でスケジュールを確認しながら、差し込んだ鍵を回す。

ドアノブを回して引いて——あれ？　開かない。鍵がかかった？　ってことはもともと鍵がかかっていなかったってことか？　俺、出るとき鍵かけたよな？　……うん、かけた。

朝の記憶を掘り起こしているうちに、じわじわとこめかみのあたりが熱くなってきた。

まさか……ええっ……マジ？　今度は空き巣かよ？

なにそのトラブルのフルコース。ツキがないにもほどがあるだろ!?

「ふざけんなっ」

室内に空き巣犯がまだ潜《ひそ》んでいるかもしれないという可能性は、その瞬間の俺の頭からはきれいさっぱり抜け落ちていた。とにかく、またやられた！　という怒りと衝撃で、冷静な判断力など吹っ飛んでしまったのだ。

解錠してドアノブを回し、鉄のドアを引き開ける。三和土《たたき》に革靴発見。まだ中にいる！

この時点でも、怯《ひる》む気持ちより怒りのほうが勝っていた。

「とっ捕まえてやる！」

奮《ふる》い立って靴を脱ぎ、廊下を駆け抜けた。アドレナリンに任せて、リビングとの境目の内扉をばんっと開け放つ。カーテンの前に後ろ姿のシルエットを見つけるのと同時に大声を出した。

「ひとんちに勝手に上がり込みやがって、このドロボー!!」

片手でなにかを弄《もてあそ》んでいたシルエットが、ゆっくりと振り返る。

偶然の再会によって心ならずも記憶の奥底から甦《よみがえ》ってしまった——彫りの深い貌。

(ドロボー……じゃなかった)

ぴんと張り詰めていた糸がぷつっと切れ、俺は膝からへなへなと崩《くず》れた。フローリングの床にへたり込む。

「なんで……おまえがここに？」

半開きの口から、呆然《ぼうぜん》としたつぶやきが零《こぼ》れ落ちる。

返答の代わりに聞こえてくるのは、カチャカチャという金属音。目を凝《こ》らせば、響の手の中で音を立てているのは、盗《と》られたはずの俺のマスターキーだ。

数歩で距離を詰めてきた響が、俺の顔を覗《のぞ》き込む。

「おまえのメッセージを聞いて、何度か連絡したが繋がらなかった」

昨日は地下のスタジオにいたし、今日も校正中はマナーモードにしてトートバッグに入れっぱなしにしていて……そういや終わったあとも疲れ切ってスマホをチェックしてなかった。

でも、だからって勝手に他人様の家に上がり込むのか、おまえは！

怒鳴りつけてやりたかったけど、一度しぼんでしまった怒りの風船は、そう簡単に膨《ふく》らむものでもなく……。

徒労感に肩を落とす俺の前で、長くて節ばった指が、キーホルダーと鍵をクルクル回した。

「今朝方、宮下《みやした》公園のダストボックスの中から発見された。清掃業者に声をかけておいたんだが、アタリだったな」

放り投げられた鍵をあわててキャッチする。細部までよくよく確認したが、俺のマスターキーに間違いない。

とりあえず、明日の鍵交換はキャンセルできる。余計な出費を免《まぬか》れてよかった。

「それとこれも特徴からいっておまえのものだと思うが、間違いないか？」

次に、響が見慣れたバックパックを差し出してくる。

「……ああ」

四日ぶりのご対面となる愛用のバックパックだった。ジップを開くと、中から文庫本一冊、財布、イヤホン、ハンドタオル、ティッシュが出てくる。財布の中身は、小銭も含めて現金のみきれいに抜き取られていた。キャッシュカード、クレカ、免許証も見当たらない。そしてもちろん二十万が入っていた封筒もない。

でも、バックパックが戻ってきたのはうれしかった。お気に入りブランドのシーズン限定商品で、もう手に入らないものだったからだ。

とはいえ、勝手に部屋に入るのは、どう考えてもプライバシーの侵害だよな？

「おまえな、本当に刑事かよ？　これって住居侵入罪っていう立派な犯罪だろ？」

「次は令状を持ってくるさ」

俺のツッコミを躱《かわ》すように背を向けたかと思うと、しらじらしく本棚なんか覗き込んでやがる。

「次なんかないだろ！」

「…………」

（無視かよ。くそ。茶どころか水一杯出してやらん）

一秒でも早く「野放しの猛獣」を家から追い出したい一心で、俺は肩にかけていたトートバッグから銀行の封筒を取り出し、響に突きつけた。

「ほら！　借りてた金」

「ああ」

中身も検《あらた》めず、受け取った封筒を無造作に上着の内ポケットに突っ込む。交替でマルボロのパッケージを引き出すと、ジッポーで火を点けてから俺のほうを見た。

「灰皿はないぞ。俺、吸わないから」

つまり禁煙なんだよ、この部屋は！

睨みつけてやったのに、まるで動じる気配もなく、いとも美味そうに煙を吐き出してやがる。

やがて灰皿の代用品を求めてか、咥《くわ》え煙草でのっそりとキッチンへ消えた。

こっちが歓待するつもりがないのを見て取り、ならば勝手にすると言わんばかりだ。

（なら、勝手にしてろ！）

つか、携帯灰皿くらい持ち歩けよ。喫煙者の最低限のマナーだろ？

たったいま突き返したとはいえ、やつの二十万で助かった恩義は残っている。さすがに背中を押して追い出すわけにもいかず、暗澹《あんたん》たる気分で、１ＬＤＫの室内を見回した。

仕事場兼用のリビングを除けば、キッチンと風呂場とトイレと六畳の寝室。寝室は、ここ最近の仕事の余波で、足の踏み場もない汚部屋と化している（一段落したら片付ける予定だったのだ！）。

ここに籠《こも》るという手もあるが、家主である自分が、汚部屋に籠城《ろうじょう》するのは解《げ》せない。

一考したのち、招かれざる客の存在を無視して、仕事机に向かうことにした。

こっちが仕事に熱中していれば、いくらやつとて退散するだろう。

ＰＣを立ち上げて、昨夜途中で閉じたレイアウトを開いた。明日の夕方入稿なのに、まだ十ページ近くが手つかずのまま。マジで響にかかずらわっている暇はないのだ。

が、しかし。えてしてこういったときに限ってPCの調子が悪く、フリーズを繰り返す。

（げっ、またカーソルのクルクル始まった……）

このPCも買い換え時だよな。かなり重くなってきてるし、最近やたらと固まるし。

だいぶ前からそれは考えていて、新しい機種も検討していたのだが、ニューマシンのカスタマイズの手間を想像するにつけ踏ん切りがつかず、とりあえず仕事の区切りがついてから……と先延ばしにしているうちにずるずると今日まで来てしまった。年代ものだけど、ずっと苦楽を共にしてきた相棒だから、やっぱ愛着もあるし。

にしても、なんで俺がセーブし忘れたの狙ったみたいにフリーズすんだよ。

機嫌直してくれよ？　な？　頼む、このとおり！

ディスプレイに向かって拝んでみたものの、懇願も空《むな》しくカーソルはクルクル回り続ける。こうなると、もはや手の打ちようがないのは、これまでいやってほど体験済みだ。

「はあああ……落とすしかないのか」

進行中のデータはおしゃかになるけど、再起動するしか手立てはない。

強制終了のために泣く泣くキーボードに指を伸ばしかけたとき、後ろから声がかかった。

「まったく……おまえがPCで仕事をする日が来るとはな」

「ほっとけよ！」

ただでさえぴりぴりしていたのに、嫌みな低音にぴきっとこめかみに筋が走って、くるっとアーロンチェアを回転させる。空き缶を片手に持つ男を睨み上げた。

たしかに学生時代、俺の理数系の成績は万年赤点スレスレだった。いまだにちょっと複雑な配線は自力で繋げられないし、ＩＴリテラシーが高いとは口が裂けても言えない。だけど、ＰＣばかりは避けて通れないのが現代社会だ。

「苦手だからって使わないわけいかねーだろ」

「まあ、そうだろうが……苦戦しているようだな」

どうやら響は俺の悪戦苦闘をキッチンから見ていたらしい。むっとする俺に「退け」と言って、強引に椅子から退かせると、咥え煙草でディスプレイの前に腰を下ろした。

「おい、煙草は消せって。ディスプレイにヤニがつくだろ？」

俺の小言をスルーした響が、画面上のクルクルを見て「レインボーカーソル……ハングアップか」とひとりごちる。次の瞬間、ごつい指が、意外やなめらかにキーボードを操作し始めた。

俺が一度も触ったことがない場所をクリックし、現れたウィンドウの、ずらっと並んだ英語の項目を迷わずクリックし――俺には一体なにが起こっているのかさっぱり理解できなかったが、気がつくと忌々《いまいま》しいクルクルは消えていた。その間、わずか二分少々。

「え？　フリーズ解消した？」

「応急処置だ。頻繁《ひんぱん》にハングするようなら、一度きちんと対策を施したほうがいい。おそらくメモリだ。古い機種だし、そろそろ寿命かもしれないぞ」

空き缶の飲み口で、根元までちびた煙草をもみ消しながら立ち上がる。

データが助かったのはうれしかったけれど、なんとなく素直に喜べない俺は、改めて目の前の男を観察した。

無造作に額に落ちた前髪。充血した目。不精髭がまばらな顎。よれたネクタイ。皺っぽいシャツ。型崩れしたスーツ。どこを見ても疲労感が滲み出ていて、春くんが言うところの男前も形なしだ。

実はここ数日家に帰っていないと告白されても驚くに値しない——全身から漂う「お疲れモード」を確認しつつ思った。

こいつと俺が並んで歩いていても、元同級生には見えないだろうな。

こいつがふてぶてしいのは無論のこと、俺にも一因があって、自由業だからスーツはおろか、ジャケットすらめったに着ないし……。年齢を言って驚かれるたびに、二十代後半の男にとって「若く見えますね」は、褒め言葉でもなんでもないって実感するけど。

こいつはちゃんと大人の男に見える。

そう認めた瞬間、神蔵響という男に抱いていた複雑な感情に、新たな要素がプラスされるのを意識した。

認めたくはないけれど、それは羨望《せんぼう》と嫉妬《しっと》。

俺とこいつを隔てているのは、単なる外見上の相違だけじゃなくて、もっと根源的なもの——おそらくは、男としてどれだけの正念場を体を張って切り抜けてきたかの違い。言い換えれば、乗り越えてきた障害物の数——そんな気がした。

俺の沈黙をどう受けとめたのか、響が不精髭の浮いた顎をざらりと撫でる。

「うちの課はサイバー犯罪も担当している。俺は直接の担当じゃないが、最低限の知識は持っておいて損はないからな。出会い系サイト、フィッシング詐欺、リベンジポルノ、書き込みによる脅迫……いまやオンラインは犯罪者天国だ。対して、取り締まる側の警察は、日々進化するネット犯罪に対応が追いついていない。なにもかもが後手後手《ごてごて》だ」

その声音からわずかながら、排他的で冷めたトーンを嗅《か》ぎ取った俺は、ぴくっと肩を揺らした。

凶暴かつ横暴、プラス傲慢な傍《かたわ》らの肩を熱苦しく感じたことは数知れないが、少なくとも俺が知っていたこいつは、こんなやさぐれたオーラを纏う男じゃなかった。

もちろん、八年間まったく変わらないほうがおかしくて、俺だってやつから見ればそれなりに変わったんだろう。

それでも、これまでは意識していなかった八年のブランクが、突如として存在を主張し始めた――そんな気がして、なんだか落ち着かない。

「おまえさ……なんで刑事になったんだ？」

つい口にしてしまってから、これが再会後初の個人的な質問であることに気づいた。響もそのことに思い当たったのか、意外そうに目を細める。やがて、ぼそっと低音を落とした。

「家業を継いだ」

「家業？　たしか親父さんは公務員だって……」

あ、そうか。てっきり、お役所勤めかなんかだと思い込んでいたけど。

「うちは代々警察関係に従事していてな。……もっとも俺は継ぐつもりはなかったんだが」

そりゃあそうだろ。警察官を目指しているやつが、あんな犯罪行為ギリギリ三昧するわけないもんな。

「兄貴が死んじまって、お役御免《ごめん》ともいかなくなった」

不意打ちに、「えっ？」と狼狽《うろた》えた声が出る。

「死んだって……あのお兄さんが？」

おぼろげな記憶でしかないが、俺は響のお兄さんを知っていた。

中等部の入学式で隣に座った、やたらと体格のいいクラスメイトの付き添いは、両親のどちらでもなく、大学生くらいの男の人だった。彼が、「忙しい父親の代わりに出席した兄」であったと知ったのは数日後。母親は、響が十の年に亡くなったことも、そのとき知った。

「身内の俺が言うのもなんだが、めずらしくまともな刑事だった。いくら優秀でも殉職しちまったらなんにもならねえが……」

殉職って、仕事中に亡くなったってことか。

「いつ？」

「俺が十七の夏か。兄貴はまだ二十五だった。嫁さんもらった翌年だ」

苦さを含んだ低音が答える。

(十七の夏)

いまから九年前の夏。

あの年――夏期休暇が明けて寮に戻ってきた響は、明らかに様子がおかしかった。そしてその異変は、日を追って目に余るようになった。

もともと模範的とは言いがたい言動がさらに荒れて、夕刻にふらふらと寮から抜け出しては朝まで帰ってこない。明け方に戻ってきたらきたで、ひどく酩酊《めいてい》している。喧嘩でついたとおぼしき傷を体中に纏い、手当ても受けつけない。

自暴自棄《じぼうじき》は若さの特権ではあるが、それにしたって度を越していた。荒《すさ》んだ生活によって顔つきも変わり、一触即発の物騒さを撒き散らす大きな体は、それまで以上に周囲を威圧し遠ざけた。

当時相部屋だった俺は、はじめのうちは「どうせ女関係か、縄張り争いかなんかだろ」と距離を置いていた。だが次第に、これはただごとじゃないと覚《さと》った。

長年見ているが、度を失うほど女に入れ込むやつじゃない。単なる夜遊びなら、これまではこちらの意志などお構いなしに、俺を引っ張り回すのが常だった。それが今回は手のひらを返したような単独行動。

理由を追及しても、かたくなに口を閉ざし、背を向けるだけ。

勝手なやつだと罵《ののし》ること十数回。応戦した響と、摑み合いの喧嘩が片手ほど。

両手になる前に決定的な事件が起こり、俺たち――正確には俺から一方的に――は冷戦状態に突入した。

卒業までの数ヶ月間、同室で寝起きしながらもお互いに視線を逸らし、会話が成り立つほど口もきかず、卒業後の進路を告げ合うこともなく別れた。

それが六年に及ぶ親交の、あっけないと言えばあまりにあっけない終わりだった。

大学に進学してからも、俺は故意に、かつてのクラスメイトたちとのコンタクトを避け続けた。SNSに参加せず、飲み会にも顔を出さず、定期的に届くクラス会や同窓会の通知をスルーし続けているうちに、元級友たちからの連絡も次第にフェイドアウトして……まったくの音信不通となってまる三年。

そこまで徹底しなければならないほど、俺の中から彼《か》の悪友の面影を抹消することは困難だったのだ。

(……あのお兄さんが、亡くなっていた?)

いつしか諍《いさか》いの争点が俺たちの関係そのものに移行して訣別を迎えたから、結局俺は、響が荒れた理由を知らないまま、今日まで来た。

だけどこの八年間ずっと、小さな違和感は胸の片隅に居座っていた。

親代わりでもあったお兄さんの死。

それが、響があれほど荒れた理由だったんだろうか。

大切なひとの死が、こいつをああまで変えたのか?

俺との間にあったはずの信頼関係すら、あんな形で踏みにじらなければ乗り越えられないほどに、それは大きな痛みだったというわけか。

「人生に於《お》いて最低最悪の時期ってやつだな、あの頃は。自棄《やけ》になってグレようにも、すでに充分やんちゃだったしな」

思春期の回想に付きものの、自嘲《じちょう》を帯びたほろ苦い独白。

……そうそう、そういやそんなこともあった。あの頃は俺たちも青かったからって同意すればリセット完了。またぼちぼちオトモダチから始めましょうかって？

ジョーダンじゃない。悪いけど俺はそんなに心が広くないし、友人にも困っていない。

（ないない。絶対ない！）

おのれの意思を再確認してかつての悪友を見たら、こちらを見ていたらしい漆黒の瞳ともろにかち合ってしまった。

「……………っ」

まっすぐこちらを見据える双眸に射貫《いぬ》かれ、フリーズしていると、やおら大きな手が伸びてきて、二の腕を掴まれる。

「なにす……っ」

掴まれた場所が、まるで焼きごてでも押しつけられたみたいに熱い。抗《あらが》った刹那、ぐいっと強く引かれた。バランスを崩し、よろめいた体を硬い胸に抱きとめられる。

熱い吐息が耳にかかった。

「……シンゴ」

八年前と同じ低音、同じトーンで名前を呼ばれ、びくりと震える。

胸の奥深くに封じ込めていたはずの〝なにか〟が、ぞろりと鎌首をもたげる——予感。

その〝なにか〟が完全なる覚醒《かくせい》を遂げる前に、響の手をパシッと振り払う。

「離せっ」

叫んでキッチンへ逃げ込み、冷蔵庫からミネラルウォーターのボトルを取り出した。キャップを捻るのももどかしく、冷たい水をごくごくと呷《あお》る。冷水が食道を伝って胃に落ち着く頃にはどうにか動揺も治まり――バトンタッチするように憤《いきどお》りが込み上げてきた。

なんで俺が今更こんな気分を味わわなきゃならないんだよ？

やっと、やっとの思いで封じ込めて。ほとんど忘れかけていたのに。瘡蓋《かさぶた》になった頃合いを見計らったみたいに、治りかけの傷を暴く――。

（卑怯者！）

感情の暴走を防ぐために深呼吸を繰り返し、どうにかアドレナリンを落ち着かせて振り向くと、黒のブリーフケースを手にした響が立っていた。その顔からは、先程垣間見せたような感情はすでに窺えない。

「……帰るのか」

俺の問いかけには答えず、逆に訊いてくる。

「春のやつが言っていたが、おまえ、モンタージュ作成に協力するって？」

うなずくと、眉をひそめた。

「バックパックも鍵も戻ったんだ。現金は諦めて、もうこれ以上は関わるな」

命令口調にむかついて言い返す。

「まだ免許証が戻ってない。再発行の手続きはしたけど、悪用される可能性だってあるんだろ？」

「ないとは言い切れないが、顔写真付きだしな」

「でもさ、俺のフリをしたやつに悪用されたら」

玄関までついていって追いすがったが、革靴を履く響にハッと鼻であしらわれた。

「おまえのフリをできる男がそう簡単にいてたまるか」

「そんなのわからないじゃん。二十代後半の似たような背格好の男なんて、そこらへんにごろごろいるし」

「無自覚は相変わらずか。まあな、女に男装させるって手はあるが、果たしてリスクを負ってそこまでするかどうか……」

思案げにつぶやいた響が、俺を振り返った。鋭い眼光で見据えてくる。

「ここから先は俺たちプロに任せろ。単独犯か、もしくはなんらかのバックがある組織犯罪なのか、全容が摑めるまでは素人は関わらないほうが無難だ」

「けど」

しつこく食い下がる俺にビシッと指先を突きつけ、ドスの利いた声で釘を刺した。

「素人は大人しくおうちでいい子にしていろ。いいな?」

「ちょっ……」

待てよと言う前にドアが開き、大きな体が消える。

「くっそ、偉そうに言うな！」

罵声はすでに閉まっていたドアにぶつかり、あえなく撃沈した。

3

二週間が過ぎた。

予想外の支出であった二十万を埋め合わせるべく、単発の仕事を引き受けたり、知り合いのデザイナーのアシスタント作業を請け負って日銭《ひぜに》を稼いだりして、月はじめにしては目まぐるしい日々を過ごしていると、二週間はあっという間に過ぎ去った。

響が睨《にら》みを利かせたのか、その間、春くんからのモンタージュ作成要請の連絡はなかった。

あいつには「関わるな」と釘を刺されたけど、どうせ歩いていける距離だし、俺自身は要請されれば渋谷中央署に出向くつもりだった。だけど請われてもいないのに、こっちからのこのこ出向くほど、警察署ってのは気安い場所じゃないわけで。春くんに漏れなく付いてくる余計なオプションを思えばなおのこと。

当のオプションは、「上から」な忠告を置きみやげにしたまんま、あれっきり梨《なし》の礫《つぶて》。

ま、そのほうがこっちも気が楽だけどさ。

なんにせよ、脇腹と太股の傷もどうにか癒え、危惧していたほどの後遺症もなく、俺もあの悪夢のような一日のダメージからようやく脱しつつあったのだ。

そんなある日の午後遅くのことだった。

ん？　と思ったのは、広げていたスポーツ新聞を畳んでテーブルに置いたその男が、到着したざる蕎麦をものすごい勢いですすり込み始めたときだった。

場所は明治通《めいじどお》り沿いにある、汁がけっこう辛めなんで贔屓《ひいき》にしている蕎麦屋。打ち合わせの帰りに店の前を通りがかり、食欲を刺激する甘辛い匂いに、そういやそろそろ七時、夕飯時かと店内に誘い込まれた俺は、いつもの定位置に腰を下ろして壁の品書きを見ていた。その流れで、男の姿が視界に入ったのだ。

俺の席からは男の横顔しか見えない。だがおかげで、左耳のピアスをはっきりと捉えることができた。小粒のダイヤらしき石が耳朶《みみたぶ》の中央あたりに光り、ありふれた銀の輪っかがぶら下がっている。髪は鎖骨のあたりまでの黒ロン毛。赤いTシャツ。黒のタイトなボトム。

二つのピアスは別にめずらしい組み合わせじゃない。ロン毛も一時よりは減ったけど、ヘアスタイルの選択肢の一つとして生き残っている。要するに、とりたてて目を引く風体ってわけじゃない。

だけど……なんだか引っかかる。とりわけ頬骨のラインが気になる。蕎麦を頬張っているから確認しづらいな。せめてあと四十五度、こっちを向いてくれれば。

俺の願いは叶わず、男はすすり込むというよりはズバリかっ込むといった勢いでざるを一枚平らげると、蕎麦湯も使わずに立ち上がってしまった。チャラチャラと小銭を弄《もてあそ》びながらレジに向かう。

「なんにします？」

注文を取りに来た顔なじみの女の子の問いかけに答えず、がたんと椅子を引いたのは、レジで勘定を済ませた男が床に小銭を落とし、それを拾おうとして体を捻ったから。

——あの男だ！

正面顔を見たのはほんの一瞬だったけど間違いない。俺の形状記憶脳がＧＯサインを出したんだから！

「ごめん。急用思い出しちゃった。また今度」

女の子にマジ？　って顔をされたけど、ここは常連の特権乱用。バックパックをひっ摑んで、男が閉めた引き戸にダッシュ。戸を開けて外に飛び出し、左右を確認。右方向五メートル先に、スカルのバックプリントを発見した。目立つ色でラッキー。

真っ赤なＴシャツに黒いスカルを目印に、俺は尾行を開始した。


男は金曜日の夕方の明治通りを、人混みをすり抜けるようにひょうひょうと歩いていく。

こっちは尾行なんて初めてだし、緊張もあってそうスイスイとは進めない。なのでそれが癖なのか、男の頭がひょこひょこと上下するのには助けられた。動く頭が目印となって、一定の距離を保つことができる。そうなればむしろ混雑も盾となった。

もっともいまのところ、男が背後を気にする素振りは見受けられない。とはいえ、用心するに越したことはないだろう。こっちは尾行のビギナーなわけだし。

しかしせっかくの人垣も、男が右折して裏道に入った時点で激減し、さらに角を二、三回曲がった頃には、ターゲットとの間にわずか二人になってしまった。ふと周囲を見回せば、喧噪《けんそう》とは程遠い住宅街。すぐ前を歩いていた主婦が高級そうなマンションの玄関に消え、最後の大学生らしき若い女性が住宅の角を左折し、とうとう障害物がゼロになった段階で、さすがに足を止める。電柱の陰でたたらを踏んで思案した。

(どうする?)

向こうの視力にもよるけど、だいぶ日が陰ってきて、尾行するには都合のいい暗さだ。だけどあのロン毛が推測どおりにひったくり犯とグルだとしたら、こっちの面が割れている可能性もある。もし振り向かれたら?

——素人は大人しくおうちでいい子にしていろ。

脳裏に響の怖い顔が浮かぶ。だが、そのドスの利いた忠告より二十万奪われた無念さのほうが勝った。

腹をくくって尾行再開。まださほど距離はあけられていない。控えめな歩調でそろそろと数メートル進む。と、出し抜けに男が振り返った。

(うわっ)

口から飛び出しそうな心臓を、無理矢理喉の奥に押し戻し、視線をさりげなく落とす。俺もこっちに用があるんですよ、奇遇ですね、といった体《てい》を装った。

幸いにも男が振り返ったのはほんの一瞬で、すぐさま前を向き、ひょこひょこリズムが戻る。

やがて音程が微妙にずれた口笛が加わった。

(ひー……ビビらせんなよー)

こっそりアスファルトに安堵《あんど》のため息を零《こぼ》していたら、痩《や》せた長身がふっと狭い路地に消えた。

右折した？　……にしても、さすがにあんなに細い路地までは追っていけない。

とりあえず、角まで行ってみよう。そう決めて歩き続けた俺は、男が消えた角を通過しつつ、横目でちらっと路地の中を窺《うかが》った。

薄暗くてよく見えないが、かろうじて店の入り口らしきものを捉えた。ライトの消えたネオン管の看板。狭い入り口に二つの影が見える。一人はここまで追ってきたロン毛で、もう一人はスキンヘッドのごつい大男。

そのスキンヘッドがこっちを見ていた。

目が合いかけて血の気が引く。ギリギリのところですっと逸らし、できる限り普通の足取りで路地を通り過ぎた。

よりによって逃げ場のない一本道。いまにも走り出してしまいそうな自分を抑えつけ、懸命に歩く。全神経を背中に集中し、背後の気配を探りながら、さらに数十メートル歩いた。振り返って後ろを見たい欲求はもはやマックス。

その欲望に打ち克ち、T字路まで辿り着いた自分を褒めてやりたい！　でもその前に右折してダッシュ！

無事に四車線の大通りに出て、行き交う車と人混みの喧噪に紛れ込めた瞬間、緊張の糸が切れた。足がふらつき、手近の壁に手をつく。

ショップの壁に凭《もた》れ、肩ではあはあと息をしている姿は、傍から見れば変なやつだっただろうけど、そんなことを気にしている余裕はなかった。心臓がドッドッドッと早鐘を打ち、全身の毛穴からじっとり冷たい汗が噴き出す。

数分後、どうにか心拍数が落ち着いてきたので、さっきの状況を分析しようと試みた。

追ってこなかったってことは、尾行はバレてないってことだよな？　通りすがりになにげなく路地を覗《のぞ》き込むなんてめずらしくもない。立ち止まって何分も見ていたわけじゃないし。

だけど、そう思っていたのは自分だけで、実際は不自然なほど長かったとしたら？　そもそも尾行そのものがバレバレだった可能性も……。

分析しているうちに、首の後ろがチリチリ粟立《あわだ》ってきた。尾《び》てい骨のあたりもムズムズする。まさしく「居ても立ってもいられない」とはこのことだ。

こんなときの解決法は一つだけ。俺はボトムのバックポケットからスマホを取り出した。

『はい、渋谷中央警察署生活安全課一係です』

響の携帯にかけたら例によって繋がらなかったので、仕方なく渋谷中央署の直通番号をタップしたところ、電話に出たのは聞き覚えのある声だった。

「あ……あの、平間です。春くん、だよね？」

『平間さん？　そうです、春畑です。先日はお疲れ様でした』

なんだかうれしそうな声。

「春くんこそ、お疲れ様でした」

挨拶《あいさつ》もそこそこに「響はいる？」と切り出す。

『すみません。先輩、今日から地方出張なんですよ』

（つまり東京にはいないってことか）

「……そっか。いつまで？」

そう尋《たず》ねた俺の声音が沈んでいたせいだろう。申し訳なさそうな声が返ってきた。

『それがはっきりしないんです。他県の捜査の応援で……事件の進捗《しんちょく》にもよりますが、来週いっぱいかかるかもしれないみたいです』

肝心なときにやっぱり当てにならないやつ。長年のやつに対する評価を再認識していると、春くんから『どうしました？』と心配そうな問いかけがきた。

『まさか、またひったくりに遭《あ》ったとか』

「そうじゃなくて……。でもまあ、例のひったくり絡みではあるんだけど」

少し迷ったが、結局、俺は春くんに相談してみることに決めた。遠くの親戚より近くの他人って諺《ことわざ》もあるし。たったいま体験した出来事を誰かに吐き出さないと今夜は眠れそうにない……そんな切迫した焦燥《しょうそう》感に駆られたせいもある。

『平間さん、その店の場所を覚えていますか？』

説明を聞き終わった春くんの第一声はこれだった。心なしか声が硬い。

「地図に描けるよ。あとでメールに添付する」

即答してからつけ加えた。

「ロン毛は確信があるし、もう一人のスキンヘッドもほぼ間違いないと思うんだ。あのごっついスキンヘッドこそが、俺のバックパックをひったくったバイカーだと思う」

いまや俺には確信があった。

日本人離れした肩から腕にかけての筋肉の盛り上がり。猪《いのしし》みたいに太い首。ヘルメットの下がスキンヘッドだったかどうかはわからないけど、あの上半身だけは見間違うもんか。走り去っていくバイクを穴が空くほど睨みつけたんだから。

「ついでに人相描きも送る」

よろしくお願いします、と応じてから、春くんが、彼にしてはめずらしく低いトーンで告げた。

『平間さん、あとはぼくたちでやりますから、これ以上の無茶はしないでください』

念を押されなくたって二度とこんな心臓に悪いマネは御免《ごめん》だよと思ったけれど。

通話を切る直前の台詞《せりふ》にはちょっぴりげんなりした。

『平間さんになにかあったら、ぼくが先輩に殺されます――マジで』

ビールのロング缶を一本空けてソファでうとうとしていたら、ローテーブルの上のスマホが鳴り出した。寝ぼけ眼《まなこ》でスマホに手を伸ばす。まず視界に飛び込んできたのは深夜二時十五分という時刻表示。誰だよ、こんな夜中に非常識な……と思って改めてよく見ると、【神蔵響】という表示がディスプレイに出ている。とたん、心臓が小さく跳ねた。

不可解な鼓動の乱れに眉根を寄せ、ロックを解除してスマホを耳に当てる。

「なんだよ？　おまえいま出張中じゃなかったのかよ」

少し不機嫌な声を出した。

『その出張先のホテルからだ。猛暑の中、県警の刑事に延々と引き摺り回され、ようやくついさっきタスクから解放されて宿に戻った俺を、春からの伝言メッセージが待ち受けていた』

どうやら不機嫌の度合いはやつのほうが上回っているようだ。ただでさえ愛想のない声が掠れて地を這っている。小学生なら泣き出しているであろう、呪詛《じゅそ》のごとき低音。

『……一昨日デカの真似事をやったそうだな。俺の真摯《しんし》な忠告は無視か？　見た目も八年前から変わってなきゃ中身もまんまじゃねえか！』

「電話口でンながなるなよ！　ただでさえ声でかいんだから！」

カッとなってつい怒鳴り返したら、地雷を踏んでしまったらしく、『おまえがそうさせてんだろうが!!』とさらに大きな声でがなられた。

『俺の出張見越したみてぇに面倒を起こしやがって。くそが！　――おまえの情報のおかげで、春のバカが昨晩ガサ入れを強行しちまった。あの《g・i・g・a》《ギガ》ってクラブはな、組対《そたい》と組んで数ヶ月前から網を張っていた店なんだよ』

二人組が用心棒よろしく入り口に立っていたあの店、《g・i・g・a》って名前なのか。そういやネットで紹介記事を見かけた気がする。住宅街にひっそりと佇む隠れ家的ホットスポット……とかなんとか。

そっちも気になったが、耳慣れない言葉も引っかかった。

「組対って？」

『組織犯罪対策課だ。俗にマル暴とも呼ばれる』

あ、そっちの筋か！

「その組対と網を張っていたってことは、きなくさい噂でもあったわけ？」

『危険ドラッグの使用でパクられたガキどもが、調達先として《g・i・g・a》の名前を挙げた。《g・i・g・a》は不良外国人のたまり場になっているからな。大方そいつらが持ち込んだブツだろうが、暴力団の売人が紛れ込んでいる可能性もなきにしもあらず――で泳がせている最中だった』

嘆息まじりの低音が告げる。それまではさほどぴんときていなかった俺にも、「危険ドラッグ」だの「暴力団」だの「売人」だの、物騒な単語が次々と飛び出してくるに従い、ようやくことの深刻さがひしひしと迫ってきた。

ひょっとして、いや、ひょっとしなくても、俺のせいで網から魚を逃してしまった？

『春がうちに着任する前からのヤマだったしな。俺もさすがに、《g・i g a》がおまえの件に絡んでくるとは予測できなかった。……くそ、ついてねえ』

ぼやく響の声がかつてないほど疲弊《ひへい》して聞こえた。

心配してやる義理なんかないけど、それにしたってひどい声だ。数秒ためらった末に、やっぱりスルーできずに尋ねた。

「おまえさ、ちゃんと睡眠取ってるか？　メシも食ってる？」

せっかく気遣ってやったのに、やつの返答ときたら。

『他人の心配は、自分の周りのハエを逐《お》ってからにしろ。——いいか？　春の報告によれば、踏み込んだ際、《g・i g a》の店内にハイになったガキはうんざりするほどいたが、例の二人組は確認できなかった。だが、ガキどもに職質したところ、それと酷似した人相の二人組が、ほぼ連日店に顔を出していたことがわかった。なのに昨夜に限ってやつらは現れなかった。なぜだ？』

なぞなぞを投げかけられて俺は天井を睨んだ。

「回答は三パターン考えられるよな？」

『三択か』

「一つ、たまたまなにかの用があって、昨晩は顔を出さなかった。二つ、毎日通ってさすがに飽きてショバを変えた」

『偶然にも昨晩からか？　——で、ラスト』

「俺の尾行に気がついて……逃げた」

『………』

十秒ほどの重苦しい沈黙ののち、たっぷりと怒気を孕《はら》んだ問いが届く。

『まさかと思うが、おまえ、一昨日二人組に顔見られてないだろうな？』

うっと詰まってしまったのがいけなかったのかもしれない。およそ弁解する暇も与えられずにバリバリバリバリ、ドーン！　と雷が落ち――その後に続く罵声《ばせい》の雨あられ。よくもまあそこまで人を詰《なじ》れるもんだといっそ感心するほどに罵詈雑言《ばりぞうごん》は続き、俺もさすがに自分の軽率さは反省していたから受けて立ちはしなかったものの、後半部分はしっかりスマホを耳から離した。

そろそろ……と見計らってスマホを戻すと、どうにか嵐は過ぎ去ったらしく、さっきより掠れた低音が注意事項を連ねていた。

『俺が帰るまでは外をうろちょろ出歩くな。おまえとやつらのテリトリーはバッティングしている。ヘタに鉢合わせでもしたら次は擦り傷で済まないぞ。妙な気配を感じたら、すぐ春に連絡を入れろ。――おい、しばらく実家に帰るわけにはいかないのか？』

「実家はネット回線引いてないから無理。仕事にならない」

『一週間くらいどうにかならないのか。死ぬわけじゃないだろうが』

死ぬよ。つか、仕事切られるよ。フリーランスはフットワーク命なの！

「俺……やつら、もうこのあたりにはいないと思うけどな」

うっかり漏らした一言が命取り。過ぎ去ったはずの台風が引き返してきて、またもや暴風圏に突入。いい加減うんざりしてきた。

「ハイハイハイハイ。何度も同じこと言わなくてもわかったから。そっちだってそろそろ寝ないと明日も仕事だろ？　刑事はなんたって体力勝負なんだからさ」

『完徹常習のおまえに言われたくないね』

最後はそんな憎まれ口を叩き合って、トータル一時間に及ぶ説教大会は終了した。

「年食って繰り言多くなったんじゃね？」

スマホに向かって顔をしかめて、ふと気がつく。誰かと大声で怒鳴り合ったのなんてひさしぶりだからかもしれないけど、例の尾行から二日ばかり落ちていたテンションがじわじわと復活の気配。

なんとも不本意で認めたくはないが、人間が生きていくためには、自分を心配してくれる他人の存在が必要なのかもしれない。

たとえそれが、あんな横暴で傲慢《ごうまん》な男であろうとも。

(はあ……なんか切ないね)

それでもその夜、俺は二日ぶりに熟睡することができたのだった。

4

翌日からの俺が響のありがたい忠告どおりに引きこもったかといえば、そんなこともなく――それどころか、外出の回数は普段より多めだった。

故意にそうしていたわけじゃない。たまたま外での打ち合わせが集中したのだ。

そりゃ「俺が帰るまでは外をうろちょろ出歩くな」なんて命令されて、パワハラ夫に逆らえないヨメみたいに、部屋でちんまり膝を抱えて待つなんて癪《しゃく》だ。

でも俺だって感情だけで反発するほどガキじゃないし、表現方法はどうあれ、やつの忠告がプロとしての経験と予測に基づいたものであることぐらいわかる。プロだからなおのこと、らしくないほど慎重にならざるを得ないんだってこともわかっている。わかっているけど、そこに仕事が関わってくるとなると話は別だ。

市民の生活を体を張って護《まも》っているあいつからしてみたら、グラフィックデザイナーなんてあってもなくても社会活動には直接支障がない、お気楽商売に思えても仕方がないだろう。なおさら俺は駆け出しのフリーランスで、大企業をクライアントに持っているわけでも、アシスタントを何人も抱えているわけでもないんだから。

でもそんな末端の俺が穴を空けただけで、たくさんの関係者が迷惑を被《こうむ》るのも、また事実。雑誌一つにしたって、編集者、カメラマン、スタイリスト、ヘアメイク、モデル、ライター、印刷所のスタッフ、出版社の営業スタッフ……大勢の人間が関わっている。出版不況の折、それでも毎月雑誌を買ってくれている読者の少女たちのためにも、俺のプライベートな問題でクオリティを落とすわけにはいかない。そんなことをしたら、きっと二度と自分の仕事に自信が持てない。

――なんて偉そうに言ってみたけれど、正直なところは、向こうっ気だけは強いくせにその実小心である自分、これから先もなにかあるたびに逃げ出しかねない自分を誰より知っているからこそ、こんなところで「弱い自分」を容認してしまうわけにはいかないのだった。

長い言い訳になってしまったけれど、とにかくそんなわけで、俺はテリトリーである渋谷《しぶや》・原《はら》宿《じゅく》・青山《あおやま》エリアを行き来する、ほぼ普段と変わらない日常を過ごしていた。

一日目はさすがにそれでもつば付きのキャップを目深にかぶり、視線も伏せ気味にそそくさと歩いた。マンションへの出入りも前後左右を確認してから。

俺なりに周囲に神経を張り巡らせ、模範的な営業マンよろしく目的地に直行、直帰することまる二日。

三日目の午後、どうしても必要な雑誌を買うために本屋に立ち寄り、ついでに覗いた洋書コーナーに嵌まってしまい、気がつくと、うわ、もう一時間!?

そのときはあわててマンションに逃げ帰ったけど、人間、一回イマシメを破ると弱い。

結局はそれを機に緊張の糸はなし崩しにズルズルと緩み、「ま、いいか、メシくらい」「ここは常連しか来ない店だから」「たまには息抜きしないと能率落ちるし」などなど、次々と浮かんでくる言い訳に背中を押され、俺の自制心は堕落《だらく》への坂道を転がり落ちてしまったのだった。

でも、外出中ずっと周りに気を配っているのって思っていたよりキツくて、一度張り詰めた神経は部屋に戻ってもなかなか元に戻らないし、おかげで肩は凝るわ不眠症は再発するわ酒量は増えるわで、心身共にヘトヘト……。

こんなことを一週間も続けていたら、響が帰ってくる前にメンタルやられちまう。

ヘタレてくると思考も行動も引力によって易《やす》きに流れるのが凡人。その点、まさしく凡人な俺が、安易に導き出してしまったのが、以下の推論である。

もしも俺の尾行が原因で二人組が雲隠れしたのだとしたら、あの店に警察の手が及んだという情報も耳にしただろう。同時に、このあたりをうろつくのが自滅行為であることも認識したはず。であれば、ほとぼりが冷めるまで、少なくとも数ヶ月は河岸《かし》を変えるのが、真っ当な思考回路を持った人間の判断というものじゃないだろうか（まともな思考回路を持っていて欲しいというのは、多分に希望的観測も入っているが）。

ことによると東京脱出どころか、一足飛びに国外に高飛びしている可能性だってある。指名手配されているわけじゃないんだから、海外に行くのだって自由だ。

いまごろ南の島あたりでのんびりバカンス満喫中かもしれない……俺の二十万で。

その推測に行き着いたとたん、鎮火《ちんか》していた怒りの塊《かたまり》が腹の底からふたたび込み上げてきた。

なんで盗《と》られた俺がコソコソビクビクしてなきゃならないんだ。被害者だぞ、こっちは。

くっそ。歩いてやる、堂々と！　行ってやる、どこでも好きなとこ！

決めたらなんだか気分が楽になって、勢いそのまま外へ飛び出し、その日は遅くまで外出先で過ごした。

深夜零時近くに帰宅し、シャワーを浴びてバスルームから出ると、スマホに響からの着信があった。折り返しの連絡を請う掠れた低音が、留守録に吹き込まれている。

かけ直すか否か、少し悩んだ結果、そのままスマホをオフにしてベッドに入った。

今日一日をやり過ごしたことでかなり楽観的な気分になっていたこともあったし、メッセージの響の声が先日以上に疲れて聞こえたせいもあった。

ただでさえ忙しいあいつを、これ以上煩《わずら》わせるのは気がひける。これから電話して、また一時間とかの長電話になったら、その分あいつの睡眠時間が減ってしまう。

決裂する以前の関係ならまだしも、いまの自分たちはかつてのクラスメイトがたまたま偶然に再会したっていう刹那《せつな》的な繋がりでしかないんだし、あいつはいま、おそらく俺なんかとは次元の違うフィールドで闘っている。

幾度かの自問自答で再確認したように、俺は今更やつとオトモダチごっこをするつもりはない。

思い出を肴《さかな》に旧交を温めるなんてまっぴら御免。なにより絶対に願い下げなのは、俺自身が無意識のうちにまたあいつに依存してしまうこと。

気がつけばガキの時分の二の舞――なんて事態だけは死んでも避けたい。

それにはいまここできっぱりと、あの「頼ってこい」と言わんばかりの守護者オーラを断ち切る必要がある。

あいつがいなくても俺は八年間やってこられたんだし、それはこれからも変わらないはずだ。

そんなふうに自分に強く言い聞かせながら、その夜は眠りについた。

翌日は三十五度を超える真夏日だった。

容赦なく照りつける太陽。ただ立っているだけで毛穴という毛穴から汗が噴き出し、自宅から表参道《おもてさんどう》までの道のりですでにTシャツはぐっしょり。ボトムも足にべったり張りつく。ハンドタオルなんかものの役にも立ちやしない。

道を行き交うカップルたちも、ほぼ半裸。西海岸のビーチよろしく、水着かと見紛うほどに肌を露出した少女たちが、タンク&ハーフパンツ少年たちとじゃれ合っている。

一方の俺の気分は、彼らとは対極に、雨季のジャングルさながらだった。

俺はそんなに神経質なタイプじゃないし、どっちかっていうと「ニブい」と評されることが多いのだが、その日の午後いっぱいつきまとった不快感には参った。

なにがどうとは上手く口で説明できない。ただなんとなく背骨がムズムズ、首筋がチリチリする。どうでもいいような、些末なことにいちいち苛つく。イライラの原因がわからない自分にさらにピリピリして、気がつくと眉間にくっきり縦皺が寄っている。

微熱があると末端神経が過敏になるせいか、皮膚に触れるものすべてを煩わしく感じることがあるが、そんな感覚とも似ていて、さては夏風邪かとも疑った。しかし咳やくしゃみ、鼻水などの症状はなし。首筋に触れても熱くない。

部屋に戻って作業している間は比較的楽なのだが、一歩外に出るやいなや、またぞろ煩わしさが再発してくる。

寝込むほどじゃなかったので、好不調の波を漫然《まんぜん》と繰り返していたのだが、夕方六時を過ぎたあたりから、俄然《がぜん》雲行きが怪しくなってきた。

悪寒がぞくっと走ったのだ。

これはいよいよ風邪の初期症状？

(そういや風邪薬の買い置き、切らしてたんだっけ)

このとき青山通《あおやまどお》りを歩いていた俺は、ドラッグストアを探そうと足を止め、直後に天啓《てんけい》のごとく降って湧いた閃《ひらめ》きに全身を震わせた。

(俺……この感覚を知ってる！)

そう認識するのとほぼ同時に、海馬《かいば》のかなり奥のほうにしまい込まれていたある記憶が、トップ画面に躍り出てきた。

自慢できる類いの話じゃないのでめったに口外しないが、実は俺はかなり頻繁にチカンに遭う。

場所は定番の電車の中だったり、暗闇の映画館だったり、意外や本屋だったり、相手の年齢も二十代後半から還暦過ぎまでと幅広いが、共通項はすべて同性——つまり男だってこと。

十代から定期的にやられ続けているせいか、悲しいかなすっかりチカン馴れしてしまっており、いちいち腹を立てても疲れるだけだと、追い払ったらただちに記憶から抹消することにしているのだが。

そのエピソードは俺の豊富なチカン体験の中でも群を抜いて印象深かったため、海馬としても抹消し切れなかったようだ。

大学二年の猛暑真っ盛り。俺は見ず知らずの四十がらみのおっさんに懸想《けそう》され、数日間にわたってつけられた。もはや立派なストーカーだ。

どうやら彼は早朝六時から俺の家の前で張り、日中は行動を共にし、当然帰路も同行して、深夜二時過ぎに家の明かりがすべて消えるのを見届けて自宅に戻っていたらしい。

最終的には異変に気がついた俺が、逆におっさんを待ち伏せて問い質《ただ》した。「一緒に警察に行きますか？」という問いかけに「それだけは勘弁してください。二度としません」と半泣きで謝り、それでも最後にちゃっかりと俺の手を握ったおっさんは、以降、誓約どおりに二度と姿を見せることはなかったが、その数日間で味わったいやな気分——何者かの視線に終始さらされ続けている——あの不快な感覚に似ている。

立ち尽くしていた脚に、かすかな震えが来た。

つけられていた？　いや、過去形じゃない。いま現在も……つけられている？

根拠はないのに、それは不吉なほど確信めいて俺の四肢をフリーズさせる。

とっさに後ろを見る。流れていく——見知らぬ顔、顔、顔……。

目を凝らし、何度も思い起こしたせいでいまや鮮明になりつつある二つの顔を——いかついスキンヘッドを——特徴的なひょこひょこ歩きを——探した。

道を挟んだ反対側の歩道まで百八十度ぐるりと見回す。探しものは見当たらなかった。

普段より速い鼓動を意識しながらぎくしゃくと歩き出し、数人を追い越してから気がつく。いつの間にか競歩の選手みたいな早足になっていた。

頭の片隅にそれでもまだかろうじて残っていた理性が、落ち着けよと信号を送ってくる。なんの根拠もないじゃないか。疲れているからそんな被害妄想に陥《おちい》るんだ。ストレスで苛ついてるんだよ。連日の熱帯夜で参っているんだ。精神も肉体も。

理性にどんなに説得されても、野性に近い直感の部分は納得しようとしない。かたくなに、強固に主張を続ける。

見張られている。見張られている。ミハラレテ……。

頭の中でわんわん共鳴し出した警報を黙らせるために、ぶんぶんと首を振り、次に大きく深呼吸をした。原始的な精神統一法じゃあるけれどそれなりの効果はあって、俺は自分がなにをすべきかを思い出すことができた。

そう——携帯で春くんに電話する。

『はい、渋谷中央警察署生活安全課一係です』

聞き覚えのない中年男性の声が耳に届いた。

「平間と申しますが、春畑刑事をお願いできますか」

『あいにくですが、春畑は外出しております。戻りは……七時になっていますね。こちらから折り返し連絡させましょうか？』

一応、春くんの携帯のナンバーは教えてもらっていて、先にそっちにかけてみたんだが繋がらなかった。向こうから連絡をもらうほうが確実そうだ。

「お願いします。自宅におりますので、携帯でも自宅の電話でもどちらでも大丈夫です」

『念のために番号をお願いします』

そう請われて、携帯と家電の二つの番号を告げる。

『伝言をお預かりしました。では』

「あ、あの」

『はい？』

「神蔵刑事は……まだ出張から戻ってないですよね」

なんでこんなことを訊いているのか、自分でもわからなかった。

『ああ、神蔵は本日中に帰京予定になっていますが、まだ署には来ておりませんね』

「そうですか」

腕時計をちらっと見る。六時二十分。

『神蔵にも、なにか伝言しますか？』

「……いいえ、けっこうです」

通話を切ってからも、俺の指は所在なくスマホのディスプレイ上をうろうろして——気がつくとアドレス帳の「か行」の上から十一番目をタップしていた。

ツルルル……ツルルル……ツルルル。

空《むな》しくコール音が響き、やがて留守番電話サービスに切り替わる。いつもの音声ガイダンスをぼんやり聞いていたらピーッと鳴って、あわててスマホを持ち直した。

「あっ……えーと、平間です……ええと……その……やっぱいいや……ごめん」

終了ボタンをタップして脱力。

(なにやってんだ……俺)

……出なくてよかった。

大体、もし響が電話に出たとして、なにをどう泣きつくつもりだったんだ？ つけられているかもしれない。根拠はないけどそんな気がするんだって？ そんな曖昧《あいまい》な理由じゃ派出所の警察官だって動いてくれない。

スマホをしまって歩き出す。全身に纏わりつくような熱波を掻き分け、よろよろと青山通りを歩いていた俺は、しかしほどなく立ちすくんだ。

とんでもなく危険な考えが舞い降りてきたからだ。これは別な意味で尾行うんぬんより、俺をしたたか打ちのめした。

ひょっとして……ただあいつの声が聞きたかった？

クラッと目眩《めまい》がした。いくら弱ってるからって、なにその最悪なパターン。

依存したくないなんて強がって、差し伸べられた手を振り払っておいて、このザマかよ？

自分の情けなさにマジで泣きそうになった。

もう一度スマホを取り出し、二度とあいつの番号をタップしないよう電源をオフにする。眠りについたスマホをバックパックの奥底に突っ込んだ。

今日の営業は強制終了。体調も悪いし、部屋に戻ってさっさと寝ちまおう。

5

隣の部屋のドアの前を通ったら、醬油と酢が混ざった香ばしい匂いが漂ってきた。お隣さんちの夕飯はどうやら中華の炒めものらしい。普段なら胃を刺激される匂いだろうけど、食欲はまるで湧いてこなかった。

（まあでも、なんかちょっとは胃に入れないとな。チーズかなにか残ってたっけ）

冷蔵庫のストックを思い浮かべながら、ドアを開けて部屋の中に入る。

後ろ手でカチャッと鍵をかけ、玄関で靴を脱ぎ、フローリングの廊下をペタペタ歩いて突き当たりの内扉を開ける――ここまではお決まりのコース。いつもと違ったのは、内扉をくぐった瞬間になにかに蹴躓《けつまず》き、転んだこと。

「痛ってー……」

暗闇の中でジンジン痺れる膝をさすり、「なんだよぅ……」とぼやく。リビングの明かりを点《つ》けるために立ち上がりかけた俺は、目的を果たす前にふたたび床に尻もちをついた。

いきなり部屋が明るくなったからだ。

頭上の照明が点いたのだと理解するのに数秒かかった。

自分の右と左に風神雷神《ふうじんらいじん》みたいな大男が二人、仁王立ちしているのを認識するのに二秒。自分がさっき蹴躓いたのが、左のロン毛の右脚だったと気がつくまでにプラス三秒。

「うわっ！」

ワンテンポどころか五テンポ遅れで声をあげた俺に、右のスキンヘッドが低く放つ。

「リアクション遅《おせ》え」

見下されたことに腹を立てる余裕はもちろんなかった。頭の中は疑問符でいっぱい。

（な、なにがどうしてこうなった？）

まだ自分が置かれた状況にぴんと来ず、ぽかんと口を半開きにしたままの俺を見下ろして、スキンヘッドがロン毛に訊《き》く。

「本当にこいつか？」

「ああ、こいつだ。間違いねえ。オレを尾行しやがった」

するとスキンヘッドが「おい」と顎《あご》をしゃくった。うなずいたロン毛が近づいてくるのに、反射的に尻で後ずさろうとしたが、実行に移す前に二十八センチはありそうな馬鹿でかい足が襲いかかってくる。

「………ッ」

胸をがっと蹴られた俺は、仰向けにひっくり返った。その衝撃で後頭部を強く打ち、軽い脳しんとうを起こしている間に、体をひっくり返される。両手を後ろに引っ張られ、手首を縛られた。

「なにしやが……うっ！」

我に返って叫ぼうとした口にはハンカチらしきものを突っ込まれる。乾いた布をぐいぐいと喉奥まで押し込まれ、強烈な嘔吐反応に襲われたが、吐くに吐けない。

「うっ……うっ……うぐっ」

苦しくて、目頭に涙が溜まった。

床に転がされた俺の前で、土足の男たちは、部屋中の抽斗《ひきだし》という抽斗を開けて逆さにし、中身を床にぶちまけている。夜九時枠のサスペンスドラマみたいだ。

(……そうか。合鍵を作られていたのか)

後頭部の痛みが治まってきてようやく、フリーズしていた俺の頭も回り始めた。

それがやつらのお決まりの手口なのだろう。スペアキーを作ったあとでマスターキーをわざと目立つ場所に捨てて油断させる。

だが実際にスペアキーを使用したのは、今回が初めてなんじゃないか。もし常套《じょうとう》手段だったとしたら、響からの忠告があって然《しか》るべきだ。

一度被害に遭った人間は用心深くなるし、念のために鍵を換える確率も高いだろう。路上のひったくりのほうが手馴れている分リスクも少ない。だからよほど追い詰められない限り、スペアキーのコレクションはやつらの「保険」で終わるはずだった。

その「保険」を、俺が「解約」させてしまったのだ。

身の程知らずにも尾行の真似事なんかして春くんと響を振り回した挙げ句、自分からこいつらを導き入れたのも同然。自業自得。身から出た錆《さび》。

(……ケチらないで予定どおりに鍵を換えておけばよかった)

「ったく、しけた部屋だぜ。現金どころかまともな貴金属もねえ。金目のもんときたらパソコンだけかよ!」

スキンヘッドの怒鳴り声に、俺の殊勝《しゅしょう》な気分はふっ飛んだ。

お願いPCはやめて! と叫びたかったが声にならない。必死に身を捩《よじ》ってみたが、腕のつけ根が痛くなっただけで、手首の縛《いまし》め自体はまるで緩まない。

その間にも二人はディスプレイ一体型PCに手をかけ、コンセントを引き抜いている。ザクッというその不吉な音は、俺の寿命を確実に一週間は縮めてくれた。

データは? どこまでクラウドにアップロードした? 作業のキリのいいところでまとめて上げようと思っていたから……最後に同期したの三日前だ。三日分＝レイアウト三十ページ!

(ひーっ)

百歩譲《ゆず》ってそのPCは進呈《しんてい》してもいい。でもその前にデータのバックアップを取る時間だけくれないか。

真剣にそう交渉しようかと、唯一自由の利く両脚をバタバタさせた——そのとき。

ピルルル……ピルルル……。

いままさにPCを担ぎ上げようとしていた男たちが、ぴたりと動きを止めた。彫像のごとく制止して、視線のみを音の発信元に向ける。スマホの電源を落としてあるから、仕方なく誰かが固定電話にかけてきたんだろう。

三人の注目を一身に浴びた固定電話は、六回のコール音で留守録に切り替わった。

（誰だ？）

息を呑んで待っていると、静まり返った部屋に生真面目な声が流れ出す。

『春畑です。お電話いただいたそうで……ただいま署に戻りました。このあとしばらくは署内におりますので、渋谷中央署の直通ナンバーか、もしくは私の携帯にご連絡いただければと思います。では、失礼します』

メッセージ終了後、室内の空気が変わった。男たちの顔を見るまでもなく、彼らから漂ってくる怒りのオーラを感じて、俺は涙目になる。

（春くん……タイミング悪すぎる……）

「サツの犬かよ！」

憤怒《ふんぬ》を帯びた声でスキンヘッドが吐き捨てる。PCから手を離し、こっちに戦車みたいに突進してきた。Tシャツの胸座《むなぐら》を摑んで引き起こされ、凶悪な面を至近で拝まされる。

「てめえ！　俺たちをサツに売りやがったな。汚ねえマネしやがって！」

先に汚いマネしたのはそっちじゃないかと言い返したかったが、声は出せないしガクガク体を揺さぶられてそれどころじゃない。

「今日一日見張ってたけど、サツの犬って感じじゃなかったけどな」

背後から覗き込んできたロン毛が、緊張感の欠けた声を出した。

ということは、やっぱり見張られていたのだ。俺が渋谷中央署に電話をしている間に、部屋に先回りされたのか。

「寝ぼけてんじゃねーぞ、キョージ！ 大体てめえがドジ踏んでつけられたりすっからこうなったんだろーがっ」

「ドジってねーよ。オレはいつもどおりやった。ツラだってこいつに見せたの、ほんの一瞬だぜ」

ロン毛が肩をすくめる。

「ならなんでつけられたんだ、こいつに」

「知るかよ。サツの犬だからだろ、こいつが」

「おまえ、さっきと言ってること逆だぞ」

できればこのまま仲間割れに突入して欲しかったのだが、それは叶わぬ願いだったようだ。男たちの視線はふたたび俺に向けられてしまった。

「まあいい、いまさらグダグダ言ったところで、俺たちが河岸を変えなきゃなんねえのは変わらないからな。――で、こいつをどうする？」

スキンヘッドが顎で俺を指す。

とたん、それまではどことなくトロンとしていたロン毛ことキョージの顔つきが豹変《ひょうへん》した。吊り上がった狐目がギラギラと光り、うすっぺらい唇が醜悪《しゅうあく》に歪む。

ぞっとした矢先、爆弾発言が落ちた。

「サツとグルってわかった以上、生かしちゃおけないでしょう」

とここに至るまで、正直俺はこいつらを侮《あなど》っていた。

そりゃもちろんただじゃ済まないとは思っていたし、部屋を荒らされたりモノを盗られたりはある程度覚悟していたけれど、まさか自分の命がそこまでの崖っぷちにあるとは、思いも寄らなかった。だって南米のスラムやロスのダウンタウンじゃないし。日本だし。

「う……うぐうぐ……ぐうっ！」

声が出せないなりに必死に訴えかける俺の顎を、スキンヘッドのごつい指が掴んだ。もう片方の手で鼻をつままれて、苦しさのあまりに全開した口から、唾液を含んだ布をずるっと引っ張り出される。急激に肺を満たす酸素に俺は咽《む》せた。

「ご……ごほっごほっ……か、考えたほうがいい！　よーく！　冷静になって！」

胸を喘がせながらとりあえず叫ぶ。二人の男たちはノーリアクション。

……焦った。震え声で、懸命に説得する。

「い……いまならまだ窃盗罪と住居侵入罪だけだ。ま、まだ若いんだし、いくらだってやり直せる。こんなことで人生を棒に振ることないよ。ヤケを起こさないで。ね」

「サツはまだいいさ。パクりゃするが命《タマ》までは取らねえ。だが、組織は違う。大事な店と顧客をツブされたって幹部は怒り心頭だ。どのみちもう日本にゃいられねえ」

冷たい汗がつーっと背中を伝い落ちる。

組織って頭にヤの字がつくやつ？

（もしかして……マジで殺《や》る気か？）

暗い声音からスキンヘッドの本気を感じ取り、目の前が紗《しゃ》がかかったみたいに暗くなる。

「とりあえずズラかるにしても礼はしていかなきゃな。それが筋ってもんだろう」

チンピラの仁義をぶったスキンヘッドの後ろで、キョージが「ひゃっはー！」とハイテンションな雄叫びをあげた――かと思うと、急にぬっと顔を突き出してきた。

「なあ、どーせ殺っちまうならその前に楽しもうぜ。テツおまえ、男でこんな顔キレーなの見たことあっか？　そのあたり歩いてる女なんかよりよっぽど上物だぜ。見ろよ、猫みてえな瞳で睨んでやがる。エロくてゾクゾクすんな」

甲高《かんだか》い声を発しながら顔を近づけてきて、独特な匂いの口臭を浴びせかけてくる。顔が不自然なほどにテラテラとテカり、瞳孔《どうこう》が開いていた。

（こいつ……キメてる？）

売人が売り物に手を出すなんて、それだけで組織除名じゃないのか。

「キョージ、おまえその悪いクセ、どこで覚えてきた」

「ムショに決まってんだろ」

目を見合わせた二人が、ニッと悪い顔で笑う。いやな予感を覚えた次の瞬間、キョージが躍りかかってきた。仰向けの俺の上に馬乗りになる。

「なにしやがる……っ！　離……せっ！」

蹴り上げようとした脚を、すかさずスキンヘッドに押さえ込まれた。キョージにはTシャツを胸の上まで捲り上げられる。

「すげえな……お兄ちゃん、肌まっ白でツルツルじゃん。うひゃ、かわいいピンクの乳首。エッチなカラダしてんねえ。ほんとに男？　オチンチンちゃんとついてる？」

下半身を這い回っていた手に股間をぎゅっと握られた。

「……いっ……」

痛いなんてもんじゃない！　眼裏《まなうら》で火花が散る。

「オレの見たい？」

見たくない！　全然見たくない!!

ぶんぶん頭を左右に振ったのに、キョージはファスナーを下げ、立派なイチモツを取り出した。すでにエレクトし切って、先端は濡れている。

黒光りする怒張をアップで見せられて、俺は卒倒しかけた。

「咥《くわ》えろよ、ほら……そのやらしい口でさあ」

「やっ！　……やめ……うむ……む……む！」

引き結んだ唇をこじ開けようと、キョージが先端をグイグイと押しつけてくる。

(ンなもん咥えてたまるか！)

決死の防御にちっと舌打ちが降ってきたかと思うと、喉に痛みが走った。キョージの骨張った五本の指が俺の首に絡みつき、万力《まんりき》のごとくギリギリと締め上げてくる。

（く、るし……い……息ができな……っ）

口を開けるのを待っていたかのように、ずぼっと突っ込まれた。みっしりと一ミリの隙間もなく占拠される。布も苦しかったけれど、これの比じゃない。

「歯ぁ立てたら首へし折るからな」

釘を刺したキョージが、腰を前後に動かし出す。前髪を摑まれて固定された状態で、凶器を何度も何度もブチ込まれた。

喉の奥を突かれる苦しさ、後頭部が床に当たる痛み、迫り上がってくる嘔吐感、興奮したキョージが締めつける喉許の圧迫、息苦しさ――すべてが渾然一体《こんぜんいったい》となって襲いかかってきて、もうなにがなんだかわからない。ひたすら苦しくて、涙が溢《あふ》れた。

「は、は……いいぜ……あ、う……すげぇイイ！　ぅアア……出る……出るっ！」

キョージが上半身を反らした直後、喉奥にぴしゃりと精液を叩きつけられる。鼻腔にツーンと抜ける独特のえぐみ。食道へ流れ落ちかけたねばつく液体を、俺は上体を捩って吐いた。

「げほっ……げっ……げふっ……！」

（こいつがイクのがあと少し遅かったら……息が止まっていた）

誇張なんかじゃない。喉を締めるキョージの力に手加減はなかった。脅しじゃない。

コロサレル――本当に。

こんなケダモノ二匹に輪姦された挙げ句に。

なんて情けなくてみじめな……男として最低最悪の死に様。

「おら、休んでんじゃねえ。次は俺だ」

ぐったり放心する俺のボトムのファスナーを、スキンヘッドがジャッと下げる。

「俺は下をいただくぜ」

宣言と同時に、ボトムを下着ごと引き下ろされ、足から抜かれた。あっさり下半身を剥《む》かれた俺は、最後の気力を振り絞って叫ぶ。

「殺《や》るならひと思いに殺れよ！　こんな嬲《なぶ》るマネしやがってクズ野郎！」

「おー、まだ元気じゃねえか。その顔でまさかケツは初めてってこたねえだろ？　おまえも少しは協力しろよ。この世の最後にイイ思いさせてやるからよ」

ギリギリと歯噛みをした。下卑《げび》た笑いを浮かべるこいつの顔をぶん殴ってやれたらどんなに気分がいいだろう。そのあと死んでもいい。

体を裏返しにされた。剥き出しの尻を、太い指がまさぐる感触に奥歯を食いしばる。ぬるっと濡れた生温かいなにかが、尻の間をぬるぬると蠢《うごめ》く。

（気持ち悪い……っ）

どうせ殺されるのなら、犯される前にいっそ舌を噛み切って……。

そんなふうに思い詰めた刹那、ふっと脳裏にある男の顔が浮かぶ。

傲慢な口許。不遜な眼差し。深みのある低音。

……まだ死ねない。あいつに言ってやりたいことがあるんだ。

一瞬囚われた死への誘惑を断ち切ったとき、固い先端をめりっと押し込まれた。覚悟を決めて、俺は目を閉じた。

——いよいよだ。


バンッと大きな音が響き、俺に覆い被さっていたスキンヘッドがびくっと身じろいだ。

「なんだあ!?」

キョージの裏返ったような声。続いてなにかが砕けるようなゴキッという無気味な音。ギャーッと空気を切り裂くような絶叫。

「てめえ、誰……だっ」

言い終わる前にスキンヘッドの上半身が浮き上がり、ふたたびバキッという鈍い音が響いた。スキンヘッドがもんどり打って床に転がる。ごろごろと横転していたが、ほどなくこちらに顔を向けて止まった。顎のあたりが変形して、半開きの口から血がだらだら流れている。白目を剝き、完全に意識を失っているのがわかった。

(……え?　え?)

なにが起こったのかわからず、目をパチパチしていたら、不意に視界が大きな影によって塞がれた。逆さになった響が呼びかけてくる。

「シンゴ?　おい、生きてるか?」

いつになく切迫した声。眉間に筋を刻んだ険しい表情をぼんやりと見上げた。

（シャツ……返り血で真っ赤）

大きな手が伸びてきて俺の頬に触れる。確かめるように上下した。

「生きてるな」

ため息混じりのつぶやきが聞こえ、視界からその姿が消える。やがて、手首の縛めが解かれた。

自由になった体を、赤ん坊みたいにやさしく抱き起こされる。

響の硬い胸に身を預け、シャツ越しに体温を感じ、その少し速い心臓の鼓動を聞いたとたんだった。

凍結していた激情が濁流のように押し寄せてきて、俺はなす術もなく押し流された。

「……うっ……くっ……ふううっ……」

堪《こら》えようとしたけれど……無理で。

シャツの胸を拳で殴った。力いっぱい。何度も。何度も。

「おまえだって……おまえだって、こいつらと一緒じゃないか！　同じじゃねえかよ！」

響はなにも言わなかった。ただ黙って、小刻みに震える俺の体を抱き込み、むずかる子供をなだめるみたいに、ゆっくりと根気強く、背中をさすり続けた。

八年前のあの夜。俺を冷たい床に縫い留めたのと同じ——熱く硬い手のひらで……。

封印したはずの記憶の断片が、脳裏にフラッシュバックする。

ゆらゆらと揺れる、昏《くら》い炎を内包した瞳。執拗だった首筋への愛撫。悲鳴を押さえ込むためだけに施されたくちづけ。

明らかに欲情とは色の違う衝動で、おまえは俺を引き裂いた。

終始一貫、眉根を寄せ、きつく唇を引き結んで……。

懇願も、哀願も、涙すらおまえの心を動かさないと覚《し》ったとき、俺にできたのはたった一つ、おまえという存在を心から締め出すことだった。

そこにあるのが当然と寄りかかっていた厚い肩も、無骨《ぶこつ》なようでいてその実器用な指も、本当は耳に心地よかった俺の名を呼ぶ低音も、ひそかに妬《ねた》んでさえいた雄の美質に恵まれた貌も。

永遠に……永久に……封じ込めて。

(……すまなかった)

嗚咽に紛れるように、苦しげな声が耳に届く。

なにがだ？　間に合わなかったことか？

それともこれは、八年前ついに最後まで聞くことのなかった謝罪の言葉なのか。

もしそうならば、俺は一生おまえを許さない。謝罪の言葉であれを暴力と認めてしまうなら、おまえはあいつらと同じ人間の皮を被ったケダモノだ。

――許さない。

一時的な錯乱から二十分後。

速攻でシャワーを浴びて何度もうがいをして汚れた服を着替えて、ひとまず外見だけ取り繕ったギリギリのタイミングで春くん一行が到着した。響から連絡を受けた春くんと、ストレッチャーを携えた救急隊員が二名だ。

「平間さん、本当に大丈夫ですか？　お怪我とかありませんか」

心持ち青ざめた春くんが、何度も確認してくる。キョージに蹴られた胸は幸い内出血しておらず、強く打った後頭部も腫れていなかったので、首を横に振った。

大丈夫じゃないのはケダモノ×2。俺がシャワーを浴びている間に響が手錠をかけたらしい二人組は、無残な様相で床に転がされていた。

元からいかつい顔が造作の判別がつかないまでにボコられて、血塗《ちまみ》れの肉塊と化したスキンヘッド。キョージのほうはさらにひどい。どうやら肋骨《ろっこつ》が数本折れているらしく、床の上をのたうち回ってヒイヒイ泣き声をあげている。

それでもそんな哀れみを誘う有様を見るにつけ、わずかではあったが精神的ダメージが和《やわ》らいだことを正直に告白しよう。

救急隊員も迷わず、まずはキョージに突進して、ストレッチャーに乗せて運び去った。

「先輩」

近づいてきた春くんが響に報告する。

「いったん警察病院で被疑者の手当てをして、取り調べが可能になった段階で署に連行することになるかと思います。平間さんはお疲れでしょうから、明日以降、お時間があるときに調書作成にご協力をお願いしますね」

また調書か。うんざりするけど仕方ない。それこそ身から出た錆だし。

手錠のスキンヘッドを連行した春畑刑事が退場して、ようやく俺の部屋にも本来の静寂が戻ってきた——と思ったら、まだこいつがいたか。

「羽田《はねだ》で留守録のメッセージを聞いて、折り返したが繋がらなかった」

咥えたマルボロにジッポーで火を点けながら、響が低くつぶやいた。

「直行したほうが話が早いと判断し、高速をタクシーでぶっ飛ばしてきたんだが……」

間に合ったといえば間に合ったし、間に合わなかったといえば間に合わなかった。もちろん、来てくれて助かったけど。

「でもさ、なんで留守録のメッセージ聞いただけで、タクシー飛ばしてここに？」

具体的なことは、特になにも吹き込んでいなかったはずだ。

「そりゃおまえ……」

目を細めて、ふーっと煙を吐き出す。

「声聞きゃ相当参ってるのはわかったからな。昔からマジでへこたれたときは、あの声が出るんだよ、おまえは」

「え？　そうなの？」

「そうなんだよ」

（……なんだよ、それ）

おまえのことはなんでもわかっているみたいな物言いに、覚えず顔が熱くなる。なんだか妙に気恥ずかしい。

「おまえさ、春くんには言うなよ。いまの」

小声で口止めしたら、響が訝《いぶか》しげに片眉を上げた。

「ただでさえ、なんか誤解があるんだからさ」

「誤解？」

「……だから、おまえがマリリンにつれなくするから」

「マリリン？」

怪訝《けげん》そうな表情が、ほどなく変化する。ははーんと合点《がてん》のいったような声を出したあとで、質《たち》の悪いにやにや笑いを浮かべた。

「春が言ったのか。おまえのせいで俺がゲイになって、いまだに女を寄せつけないって？」

ジリ……と間合いを詰められ、頭の片隅で赤いランプがピカピカ点滅する。詰められた分、後ずさった俺は、首を左右に振った。

「そ、そんなに具体的に言われたわけじゃないけど」

「春の説が正解だったらどうする？　渋谷中央署一のワガママボディにはピクリともしないが、おまえの生足にはビンビンにおっ勃つと言ったら？」

響の視線を追う。しまった。短パンだ！

あわてて足許に落ちていたタオルを拾い上げ、剝き出しの脚を隠したのと同時に、耳障《みみざわ》りな笑い声が爆発した。二十六にもなってこの男は、腹を抱えて笑っている。

「てめえ……っ」

ついさっきレイプされかかった俺にその手のジョークかますか！　鬼っ！

いつまでも終わらない哄笑《こうしょう》に苛立ち、蹴りを入れる。けっこう本気の蹴りにビクともしない頑強な肉体の持ち主は、それでもようやく笑いを収めた。

「安心しろ。ガキの時分と違って俺もそうそうやんちゃはしないさ。清く正しい公僕生活のおかげで分別も身についてきたしな」

男くさい貌に鷹揚《おうよう》な笑みを浮かべ、屈辱に震える俺の肩をぽんぽんと叩く。そののち大きく伸びをして、内扉をくぐって玄関へと消えた。ドアを閉める寸前に、余計な一言を置きみやげにして。

「刑事にコネ持っておくとなにかと便利だぞ」

いらんわーっ！

6

レイプ未遂事件から二日後の夕刻。

俺は調書作成のために渋谷中央署に立ち寄り、タイミング悪く響に捕まった。

「なんだよ？　俺、これから仕事があるんだけど」

二時間に及ぶ調書作成で疲れ切った腕を引かれ、強引に署内から連れ出される。

「仕事があってもメシくらい食うだろうが」

そりゃ食うけどおまえとは御免だ、と胸の中で毒づく俺を尻目に、先に立った大きなシルエットは夕暮れの道玄坂《どうげんざか》をぐいぐい上っていく。

一瞬、このまま逆方向に逃げてやろうかとも考えたが、さすがにそれは大人げない気がして却下した。まあ一応……助けてもらった恩もあることだし。

「なあ、どこ行くんだよ。まだ遠いのか？」

ぶうたれる俺を無視した広い背中が、ふいと左に折れる。歩道の真ん中を我が物顔で歩き、さらに左に曲がった。住所を見れば、渋谷区円山町《まるやまちょう》とある。

（このあたりってラブホ街じゃなかったっけ）

そう思ってぐるりと見回せば、エントランスに価格表が提示されたそれらしき建物が――。まさか目的地がラブホってことはないよな？　我ながらあり得ない疑心暗鬼に自嘲《じちょう》しつつも足が自然と重くなり、いつしか響との間に数メートルの距離ができていた。

どうした？　という顔つきで振り向かれ、仕方なく足を速める。追いついたそこが目的地だったのか、響は小料理屋ののれんをくぐり、木戸をカラカラと引いた。

あとに続く前に、店構えを確認する。年季を感じさせるしっとりとした風合いの木戸。真っ白なのれんの片隅に『さくら』と店名が染め抜かれている。水が打たれた敷石に涼を感じた。

そして足を踏み入れた店内は、予測を裏切らない、ほどほどの狭さが心地いい。十五畳程の敷地に四人がけのテーブル席が四つ。奥に座敷があるようだが、いまは障子が閉まっていて部屋の様子は見えない。ただ、宴《えん》たけなわといった談笑の声が、障子越しに漏れ聞こえてきた。

料理とそれを楽しむ人たちの横顔をほんのりと染める、和紙の暖かみを活かした間接照明。テーブルごとの水盆の生け花も趣味がよかった。決して華美ではなく、こぢんまりとしとやかで。

(うん、いい店だ)

「こっちだ」

常連然と勝手気ままにテーブル席についた響が、入り口で立ち尽くす俺を手招いた。

「いい感じの店だな」

向かいの椅子に腰を下ろして感想をつぶやくと、「料理も美味いぞ」と返ってくる。

「響さん、今日はあいにくお座敷が塞がっているの。テーブルでいいかしら？」

背後からの声に振り向いて、着物をしっとりと着こなした美人と目が合った。切れ長の目が、じわじわと見開かれる。

「あら」

唇を小さく開けた美人が響を見た。やつがうなずくと、「やっぱり」と微笑む。

笑うと左頬にえくぼができて、存外あどけない印象を覚えた。もしかしたら、見た目の印象より若いのかもしれない。和服の女性の年齢を見極めるなんて、俺みたいな若輩者には至難《しなん》の業《わざ》だ。

「平間シンゴさんね。お噂はかねがね、響さんからお聞きしています。初めまして、神蔵さくらです」

「こちらこそ初めまして。――え？ 神蔵？」

「兄貴の嫁さんだよ。いまはこの店の女将《おかみ》だ」

そうだったのか。亡くなったお兄さんの……。

「義姉さん、とりあえず瓶ビール。おまえ、酒は？ いける口か。じゃあ二本」

オーダーを受け取って奥に消えるほっそりとした後ろ姿を見送りながら、響が説明してくれる。

「もともとここの一人娘でな。五年程前、先代が持病の腰痛こじらせたのを機に、店を継いだんだ」

「でも……姓は神蔵のまま？」

「あの見てくれだ。再婚話は引きも切らないらしいが、どうにも首を縦に振らない。自分には店があるの一点張りだ。ああ見えて、なかなかどうして気が強いからな」

響のぼやきを聞いているうちに、さくらさんが小鉢二つと中瓶二本をお盆に載せて戻ってきた。手際よくそれらをテーブルに配してから、なぜか俺の顔を見てにこにこと微笑む。

「でも本当に噂どおりのきれいなお顔立ち」

「いや、いやいやいや、さくらさんのほうがずっとおきれいですよ」

「素肌でその肌理《きめ》、うらやましいわ。特別なケアはしていないの？」

「すぐ赤くなるんで、夏場は日焼け止め塗りますけど」

はからずもガールズトークみたいになっていると、別のテーブルの客が「すみませーん」と呼んだ。「はーい」と応《こた》えたさくらさんが、「ごゆっくり」と会釈《えしゃく》して立ち去る。

その間にとっとと手酌で始めていた響が、「そうだ」と思い出したように、ジャケットの内ポケットに手を入れ、テーブルの上にカチッとなにかを置いた。真鍮《しんちゅう》の鍵が二本？

「なんの鍵？」

「やつらが持っていたおまえの部屋のスペアキーだ」

俺のグラスにもビールを注いで答える。

「……なんで二本？」

「一本は俺のだ」

しれっと爆弾発言を落とす浅黒い顔を、唖然《あぜん》と見た。

「なっ……なんでおまえがスペアを持ってるんだよ!?」

「いくら俺でも鉄の扉は蹴破れない。おまえのマンションの管理人は六時半で帰っちまう。呼び

出して合い鍵を持ってきてもらうにしても時間がかかる。このスペアキーがなけりゃ、いまごろＨＩＶ検査の結果待ちでヘビの生殺しだったぞ？」

「ＨＩＶ？」

「やつらは二人揃って年季の入ったジャンキーだった。最悪、二次被害もあり得たわけだ」

覚醒剤常習者には注射器感染からのＨＩＶキャリアが多いと聞く。もし、やつらがそうであった場合、レイプされれば感染の可能性があったわけで……。

遅ればせながら、自分の命が本当に瀬戸際にあったことを知った俺は、目の前のグラスを摑み、一気に呷った。ぷはーっと息を吐く。

「結果的にやつらはキャリアじゃなかったが、確率は五分五分だった」

「…………」

たしかにそうだ。

つまりは——不本意極まりないが、このスペアキーに二重の意味で救われたってことか。

「虫の知らせで、なんらかのトラブルが発生した際の保険のつもりだったが、役に立ったな」

こうまで平然と居直られると、憤ることすら空しい気がして、俺は肩を落とした。とはいえ、やはり口から恨み節が零れる。

「だからって……勝手にスペアキー作るなんて犯罪だろ？」

「ま、そのあたりはお互い様だ」

悪びれもせずに肯定した男に、「お互い様ってなんだよ？」と嚙みついた。卓上のパッケージからマルボロを一本引き抜いた響が、ジッポーで火を点け、実に美味そうに煙を吐き出した。

「結果論だが、おまえが俺の忠告を守らなかったことも功を奏したわけだしな」

「忠告？」

「出張先からの電話で散々言っただろう。鍵は換えろ、やつらはスペアキーを持っている可能性が高いってな」

「…………」

そんなこと言われた記憶がない。そんなありがたい忠告……あったか？

「そんなこと言ったっけ？」

疑問を口に出してしまってから気がついた。

あのあとだ！　俺がスマホを耳から離したあと！

みるみる怒気を孕《はら》んでいく正面の顔に、エアコンで引いたはずの汗がふたたび噴き出してきた。

（やばい）

「……平間シンゴくん。キミまさかボクの貴重な睡眠時間を削っての忠告はなんの意味もなさなかったなんて言うんじゃないだろうね」

「なんで急にジジイ口調なんだよ？」

「おまえのアホさ加減に呆《あき》れてるからに決まってるだろうが！　……返そうと思っていたがやめた。これはしばらく預かっておく」

言うなり響の指が、二本の鍵のうち一本を掴み、さっさと上着の内ポケットにしまい込む。

「どっ、それどうする気だよ！」

青ざめる俺の前で、肉感的な唇がいやらしく歪んだ。

「さあて、どうするか。寮のエアコンはぶっ壊れてるし、壁が薄くてろくろく女も連れ込めないしで溜まっているからな。夜這いでもかけるか」

からかわれているのだとわかっていても、それでも戯《ざ》れ言の行間からやつの本音が匂い立つような——そんな被害妄想をも拭い切れず、俺は叫んだ。

「換える！　ドアノブごと換えてやる!!」

「あら、なんだかにぎやかね。このあとどうします？　お刺身のおつまみでも作りましょうか」

にこやかな水入りはさくらさん。ここはツケがきくから今日は俺の奢《おご》りだ、なんていう言葉に鍵の件は有耶無耶《うやむや》にされて……。

気がつくとビールから日本酒に移行し、ひととおりの料理は胃の中に納まっていた。

「またお二人でいらしてくださいね」

わざわざ表まで見送りに出てきてくれたさくらさんに、おぼつかない足どりで「はーい」と手を振る。

「おっと……アブねえ」

シャッと横切ったのら猫を躱《かわ》しそこね、よろめいた俺を、がっしりとした腕が支えた。見上げれば、微塵《みじん》の酔いも感じられない顔。

「ちぇー……つきあい悪ぃやつぅ」

「顔に出ないだけで酔っているさ」

「どこがあ……ぜぇんぜんシラフじゃん」

腹立たしいほどにシャープな面差しを睨みつける。

「おまえってさあ、ほんとずるいよ。八年間……全然まったく連絡寄越さないで……あのとき、あの場で偶然会わなかったら……一生会わないつもりだったんだろ」

「絡むな」

「絡んでねーよ。……別に、おまえの連絡待ってたわけじゃないけど……けどさ、こんなふうに一緒に酒呑んだりしたら……まるで昔に戻ったみたいで……なんかさ……なんか……おい、聞いてんのかよ？　黙ってないでなんとか言えよ」

ちっと舌打ちが聞こえ、ぐいっと腕を引かれた。耳に熱い息がかかる。

「どう言えばお気に召すんだ？　この八年間、おまえのことを想わない日はなかった。だがおまえの拒絶を思うと身がすくんで動けなかったとでも言えばいいのか？　あの夜のことを……一生をかけて償《つぐな》うと誓って欲しいか？」

「な……に？」

言葉の意味を呑み込む前に、吐息が耳からこめかみへ移動した。

一瞬だけ熱が触れて、すぐに離れる。

それはほんの刹那、瞬きの間の出来事で――キスと言い表していいものかどうかもわからないほどに、儚《はかな》い感触だったけれど……。

痺れたみたいに立ち尽くす俺から離れ、響は薄い笑みを唇に刻んだ。

「あまり性急に追い詰めるな。こう見えてそれなりに動揺しているんだ。……なにしろ俺は前科一犯だからな」

そう告げるなり、踵《きびす》を返して歩き出す。

(……マジでずるいよ、おまえ)

やることやって、言いたいこと言って、自分だけ先に行くなんて……ずるい。

思えば、記憶の中のおまえもいつも俺の前にいて――。

シャープな陰影を刻む肩甲骨《けんこうこつ》とまっすぐ伸びた背筋《せすじ》。

頑強な背中を見るたびに、俺はいつも不安だった。このまま二度と振り向くことなく、

(おまえが行ってしまうんじゃないかって……)

八年前に比べて確実に逞《たくま》しく、その分疲れの滲む背中につぶやいた。

「……なんでまた俺の前に現れたりしたんだよ?」

問いかけに、答えはない。

仰いだ夏の夜空には、さやかな三日月。

くっきりと明るい月を見上げていたら、もやもやした気分がふっと消えた。

先のことなんて……明日のことすら誰にもわからない。神のみぞ知る、だ。

(とりあえず、当面のタスクは奪われたスペアキーの奪回ってことで)

すでに闇に溶けかけている大きなシルエットを追って、俺もまた渋谷駅に続く道を歩き出した。

タフ Act.2
無敵のヴィーナス

「シンゴ……」

深みのある低音で囁かれ、顔を上げた瞬間に顎《あご》を掴まれた。逃れようとしたけれど、大きな手でがっしりと頤《おとがい》を包み込まれていて果たせない。

「や……」

抱きすくめてくる——抗《あらが》えないほどの強い力に、背筋をゾクゾクとした震えが駆け抜ける。

「いやだ、いやだ……いやっ……！」

体重をかけて押し倒され、両手を一つにまとめて拘束された。股間に手が伸びてきて、ぎゅっと握り込まれる。ひっと喉から悲鳴が漏れた。一転してソフトな動きで撫で上げられ、呼吸が荒くなる。

なんで？　どうして？　急にこんなこと？

信じていたのに。おまえのこと親友だって思っていたのに。

胸が苦しい。ひりひりと痛い。

裏切られた衝撃と、なす術もなくいいようにされている悔しさで視界がかすむ。

涙で歪んだ浅黒い貌《かお》に、俺は叫んでいた。

「なんでっ……なんでこんなことするんだよ！　響《ひびき》!!」

リリリ。リリリ。リリリ。

がばっと起き上がるのと同時に枕元のスマホを掴み、アラームを切った。半身を起こした状態で、しばらく放心。

「……夢？」

ひとりごちて、首筋に手で触れる。もう十一月だというのに、じっとりと汗で湿っていた。心臓がまだドキドキしている。

あの夜を再現する悪夢。信じていた親友に力ずくで犯された——最低最悪な夜の再現。

まだ傷が生々しかった頃は、何度も見て、うなされた。

でも時間薬の効果で徐々に間隔が空くようになって、この三年は一度も見ていなかった。それがいまになって……。

思い当たる理由は一つ。

「おまえがまた現れたりするからだぞ！」

摑んだ枕を八つ当たり気味に投げつける。

しかも、内容は同じでも、今朝の夢のあいつは八年分成長していた。つまり、再会してからの神蔵《かみくら》響——二十六歳のあいつに。

「なんで今更そんな夢見てんだよ、俺も！」

いま現在のあいつに愛撫されて、喘いで……。

思い出しただけで頭が沸騰《ふっとう》しそうになり、髪を掻きむしった。うおーっと声を発してのたうち回っていると、ふたたびリリリ、リリリと電子音が鳴り始める。十分差でかけておいたアラームだ。

今度は一気に血の気が引いた。

「撮影！　遅刻するっ！」

1

中目黒《なかめぐろ》の駅からスタジオまでを全力疾走している俺は平間《ひらま》シンゴ。二十六歳もそろそろ終わりかけのフリーランスのグラフィックデザイナー。今朝はレギュラーに持っているティーン向けファッション雑誌『Lovely《ラブリー》』の巻頭ページ撮影立ち会いのため、朝八時にはスタジオにスタンバっていなければならない――はずだった。

「ごめん！　遅れた！」

集合時間に遅れること十分、地下一階のAスタに駆け込む。高い天井も壁も床も、すべてが白い空間では、スタジオマンやスタッフが忙しそうに立ち働いていた。白ホリの前にカメラがセッティングされ、衣装が吊されたラックが並んでいる。モデルたちはすでに、二階のメイクルームに入っているようだ。

手を膝に置いてぜいぜいと荒い息を整えていたら、目の前にホットコーヒーの紙コップが無言で差し出された。

「……サンキュ」

「お互い、日曜の早起きはつらいやね」

そう言うなり大あくびをかました男は津野竜平《つのりゅうへい》。坊主に近い金髪がトレードマークのフォトグラファーで、俺の美大時代からの友人だ。

「おはよ、シンゴちゃん。んー、今朝もお肌ツルツル」

もはやアートと言ってもいいジェルネイルの爪で俺の頬に軽くタッチする、ドレッドヘアが迫力のお姉様は、スタイリストの沓田鏡子《くつだきょうこ》さん。

プライベートでも恋人同士の竜平と鏡子さんは、社会人キャリアも年齢も鏡子さんのほうがかなり先輩だけど、仕事のパートナーとしての息もピッタリで、俺も彼らとの仕事が一番リラックスできる。

「さーて。スタッフも揃ったし、そろそろ段取り詰めるか」

竜平のかけ声に応じて、俺がB4のキャリーケースから手書きのラフコンテを取り出したときだった。

「ヘア整えるから二階に上がってね」

背後からの声に振り返れば、ヘアメイクのアシスタントらしき女子がにっこり微笑んでいる。

「え？　……俺？」

自分で自分を指さして、「そう、きみ。まだやってないでしょ？」なんて返された。

「ブハハッ！」

竜平がコーヒーを噴き上げる。

「ティーンズモデルに間違えられてるしっ！」

「アキちゃん、彼ね、たしかにめっちゃ若く見えるけど……これでも二十六なんだよ」

説明する鏡子さんの声も震えている。

「そうそう。十代に見えなくもないけど、一応、アートディレクターね」

『一応』は余計な竜平の補足に、アキちゃんは気の毒なほど狼狽《うろた》えた。

「ご、ごめんなさいっ。モデルみたいに顔きれいで八頭身だからつい……」

「あ、いやいや……紹介がまだだったもんね」

ティーンズモデルと間違われ、情け容赦ない笑いのネタになって──それでも俺がかろうじて引き攣《つ》り笑いを浮かべていられるのは、悲しいかな過去に同様の辛酸《しんさん》を一度と言わずに嘗《な》め、いい加減免疫ができつつあるから。パーカにカーゴパンツ、スニーカーというコーデに威厳の欠片もないのは自覚していたし。

ひいじいさんがロシアの人で、なんの因果か身内で一人だけ先祖返りしてしまった俺の外見は、初対面の人間の目に、どうやらかなり異質に映るらしい。

そりゃたしかに色の白さもまつげの長さも誰にも負けたことないけどさ。そこまで笑うかよ、竜平も鏡子さんも。

（くそぅ、夢見の悪さ引き摺ってる）

今朝の悪夢を思い出し、ため息をついた直後、ひときわ甲高い声が後ろで弾けた。

「なになに？　なに笑ってんのー？」

テンション高く登場したのは柴田《しばた》ユカリ。齢《よわい》十七にして十年のキャリアを持つ『Lovely』専属モデルで、物怖じしないキャラが受けてか目下バラエティにも進出中の売れっ子だが、使う身としては、そのギャルノリも善《よ》し悪しで。

「なァにオヤジくさいため息ついてんのよォ、シンゴくん」

これだもんな。十も年上を捕まえて「くん」呼ばわりはないだろーが。背中に抱きついてきた問題児をシッシと手で払う。

「おまえなあ、せっかく仕上げたメイクが擦れたらどうすんだよ。ほら離れて、離れて」

「ひっどーい！　アタシ、シンゴくんに会いたくって『Lovely』の仕事入れてんのにッ」

「貴重な女子ファンなんだから大事にしとけよー」

にやにや笑いの竜平に、「うっせ」と返した俺の肩をツンツンとつつく指。振り向くとヘアメイクの男性だった。

「モデルが一人足りないんだけど」

え？　とスタジオを見回して――ああ、本当だ。あの子がいない。

「相沢《あいざわ》さん、まだ来てないのー？」

「渋滞で遅れるって連絡ありましたーっ」

すぐに鏡子さんのアシスタントの返答があって、とはいえ、そろそろ来てもいい頃合いだよな……と壁の時計を睨《にら》んだ直後、入り口からか細い声が届いた。

「すみません……遅くなりました」

まさしく真打ち登場といった雰囲気を漂わせ、美少女がぺこりと頭を下げる。キャメルのダッフルコートに膝丈のフレアスカートという、モデルにしてはおとなしめの服装。その後ろに立つのは、娘とは対照的にエミリオ・プッチ風の派手なプリントワンピを着た中年女性と、グレイのスーツにトレンチコートを羽織った三十代半ばくらいの男性。

長い黒髪をなびかせてスタジオに入ってきた相沢さんが、ヘアメイクの男性に促されてメイクルームに消える。よかった。なんとか予定どおりに九時スタートでいけそうだ。

ほっと胸を撫で下ろした俺の目の前に、ぬっと四角い紙が差し出された。——名刺？

視線を上げて、銀縁《ぎんぶち》眼鏡をかけた冴えない男の顔を認める。

「相沢エリを担当しております『デューク』の水沼《みずぬま》と申します。アートディレクターさんだとうかがったもので」

抑揚《よくよう》なくそう言ったきり、遅れた詫びもなく、黙って突っ立っている。俺が交換で渡した名刺を受け取って、そのまま無言。

モデル事務所のマネージャーといえば、必要以上に愛想がよくて口が立つと相場が決まっているだけに、いささか面食らった気分で、目の前の男をこっそり観察した。

眼鏡のせいか、地味な造りの顔からはほとんど感情というものが読み取れない。その眼鏡もオシャレ系のチタンフレームとかじゃなく、いまどきあまり見かけないような野暮ったい銀縁だ。一目で吊るしとわかるグレイのスーツ。どこで売っているのか逆に訊《き》きたいくらいひどい柄のネクタイに目を奪われていたら、ぼそっとつぶやきが落ちた。

「今日は何カットぐらいですかね」

「エリちゃんは十カットです」

うなずき、また黙り込む。なにも話すことがないなら解放して欲しいと思っていると、竜平から声がかかった。

「シンゴ、テストいくぞー」

いま行くと手で合図し、「失礼します」と会釈《えしやく》をして場を離れる。

（……変わってんな。あんな不愛想でマネージャーなんて務まるのかね）

担当編集者と一緒にテスト撮影した写真を確認してから休憩スペースに戻った俺は、ツキがないときはとことんない法則を身を以《もつ》て思い知った。

コの字型のソファの右手奥にネクラの水沼が座っているのが見えたから、あえて対角線のスペースに腰を下ろしたのだが、これが墓穴だった。端からずりずりっとエリのママが平行移動してきたのだ。

「今日はよろしくお願いしますね」

水沼とは対照的に過剰な愛想と香水臭を振り撒く彼女に、ムッチリ系の下半身をぴたっと寄せられて、内心かなり閉口する。香水が……臭い。エクステばっちりの目許にはパール系のシャドー。髪もきれいに巻いてあって、娘の付き添いというよりは、自分が主役の勢いだ。

「撮影はいつも見学されているんですか」

仕方なく水を向けた一言を機に、一方的な娘の自慢大会が始まってしまった。自分の娘を臆面《おくめん》もなく褒めちぎったかと思うと、他人様からいかに羨望《せんぼう》を浴びているかのエピソードが続く。ゆくゆくは女優にという案外月並みな展望で結ばれたときには、愛想笑いも凍りついていた。

「来春からドラマが決まって、ＣＭのお話もいくつかいただいているんですよ」

「……それはすごいですね」

仕事仲間としてエリの活躍はうれしいけど、ここは仕事の現場であって井戸端じゃないんだから、おしゃべりはそろそろこのへんで。

まだまだ話し足りなそうなママからどうやって逃れるか、腹の中で算段していると、またしても竜平が「シンゴ、ちょっと」と呼んでくれた。

これ幸いとカメラの側まで駆け寄った俺に、竜平がひそひそ耳打ちしてくる。

「たまんねーな、あの手のステージママは。陰気なマネージャーも監視してるしよ」

「撮影中ずっといるのかな。普通は送り迎えくらいで、撮影本番は席外すじゃん？」

「エリは『デューク』のイチ押しだかんな。ママとマネのコンビで見張るってのがお約束なのよ。ま、たまに例外もあるから、今日はそっちのパターンだといいけどな」

さすがに撮影の場数を踏んでいるだけに詳しい。俺もずいぶん前に一度だけ、エリを使った撮影に立ち会ったことがあったけど、自分の仕切りじゃなかったので、そこまで詳細に覚えていなかった。

「そっか。けどさ、こう言っちゃなんだけど……あのママからエリが生まれたのって生命の神秘ってゆーか」

「ハーフだし、イイトコ取りってやつでしょ」

もっともらしい説に、なるほどとうなずく俺の傍らで、竜平が大きく伸びをする。

「よっしゃ、ボチボチ始めっかあ！」

「エリ、かわいいわあ！　ほんと天使みたい！」

エリママの猫撫で声に振り向くと、フェイクファーのスヌード、白いモヘアのワンピに白のもこもこブーツというコーデを身につけた相沢エリが立っていた。

「ママ、今日はもう帰るけど大丈夫？」

漏れ聞こえてくる朗報に耳を傾ける。「大丈夫」とエリが小さな声で答えた。

「じゃあね、エリ。撮影がんばってね」

名残惜しそうな声が徐々にフェイドアウトしていく。

やった！　エリママ退場！

心の中でぐっと拳《こぶし》を握った俺の横に、すとんと細身の少女が腰を下ろした。背筋を伸ばし、きちんと膝をくっつけて座っているのはエリ。

近くで見る小さな顔は、十六歳とは思えない完成度だった。艶やかな黒髪。シミ、くすみ一つないミルク色の肌。ちょっとだけ上を向いた細い鼻にふっくらとした唇。濡れたような黒い瞳。

ママと違って天然ものの長いまつげ。

（たしかに、ドラマで露出すればブレイクの可能性ありだな）

俺の視線に気がついてか、エリが顔をこちらに向けた。

「スタジオで会うのは二度目だよね。ずいぶん前だけど学生服のパンフレットの撮影で」

数秒思案したのち、か細い声が返ってくる。

「覚えています。平間さん……ですよね？」

俺がまだ制作プロダクションに勤めていた頃の仕事だから、三年も前のことなのに、名前まで覚えていてくれたことがうれしくてにこにこしてしまった。

「あのあとしばらく見かけなかったけど」

「矯正《きょうせい》で、お仕事をお休みさせていただいていたんです」

真珠色の完璧な歯並びを覗《のぞ》かせて微笑む。

「ああ、それでか。復帰はいつから？」

「半年前からまた始めました」

他愛ない会話を交わしながら、俺はちょっと驚いていた。ブランクのせいかもしれないけれど、いちいち恥ずかしそうに視線を伏せる彼女からは、〝モデルらしさ〟がまるで感じられなかったからだ。

十五、六にして立派に本音と建て前を使い分け、駆け引きもお手のもの。俺が知っている業界ずれしたティーンズモデルたちとは、纏う空気からして違う。

水沼とママの監視の成果といえばそうだけど、そのピュアさの代償として、モデル仲間から孤立してしまう可能性も……。

「エリ」

物思いを陰気な声に破られる。振り向くまでもなく、当のマネージャー氏が背後霊みたいに後ろに立っているのはわかった。

「大丈夫か。疲れてないか？」

「大丈夫です」

エリの返答は恐ろしくそっけない。水沼をちらりとも見ようとしなかった。

ひょっとしたらエリ自身は、過剰なガードを疎《うと》ましく思っているのか？

（まあ、その気持ちもわかる。さわやかイケメンならいざ知らず、陰湿な三十男に張りつかれてもな）

撮影が始まり、カメラの前に立ったエリのポーズを確認して白ホリから出ると、スタジオの片隅に立つ水沼と目が合った。無表情のまま、俺に近づいてくる。

「これからちょっと抜けますが、五時には戻ってきます。エリは本日少し風邪気味ですので、その点を気にかけていただけますとありがたいです。よろしくお願いします」

初めてマネージャーらしい台詞《せりふ》を口にして、スタジオから出ていった。

とりあえずストレスのタネは二つとも消えた。弁当は美味しく食べられそうだ。やれやれ。

昼の休憩までのスケジュールはほぼ予定どおりだった。ランチタイムは、モデルとスタッフ、それぞれが二つのテーブルに分かれて宅配の弁当を食べた。

「午後のシューティングは一時半スタートだぞ。それまでに戻れよー」

竜平のお達しに「はーい」と応《こた》えたモデルたちが、甲高い声で囀《さえず》りながらスタジオの外へと飛び出していく。残り時間をカフェでのおしゃべりに費やすのだろう集団にエリの姿を認めて、少しほっとした。どうやら杞憂《きゆう》だったようだ。ちゃんと溶け込んでいてよかった。

「ったく、どんなにメイクで化けようが、ああなりゃただのガキだよな」

大人だけになったスタジオで、竜平がぼやく。

「あっという間に女子校の教室と化したわね。懐かしいわ」

「え？　鏡子さん、女子校だったの？」

「すっごいお嬢様学校出身なんですよ！」

アシスタントのミドリちゃんがたれ込んだ。

「中退したけどね」

鏡子さんのオチに一同なんとなく納得。

「シンゴちゃんは共学だっけ？」

彼女に振られて、俺が一瞬返答に詰まった機を逃さず、竜平がリークに走った。

「こいつ男子校なんだぜ。しかも全寮制」

「うっそーっ！」

「男子校で寮とかなにそのおいしい設定。萌える！」

たちまち女子のテンションが上がる。

女子って男子校ネタ好きだよなーと竜平。その意見に全面同意。

「なんでそんなに食いつくわけ？」

「だって、このルックスと細腰で全寮制なんて、ライオンの檻《おり》にウサギを放り込むも同然じゃないですかあ!!」

頬を紅潮させたミドリちゃんの力説に「うんうん」とうなずく女子スタッフ。

「マジで同室になった子の罰ゲーム感ハンパないわー、髭《ひげ》の一本も生えてないつるんとした顔と六畳一間で寝起きを共にしなくちゃならないなんて生き地獄よね。人生で一番やりたい盛りなのにさ」

鏡子さんが、おぞましい内容をあくまで淡々と述べる。

「こいつのせいで途《みち》を踏み外した青少年、二十は下らないらしいぜ」

「竜平てめえ、ガセふかすなよ」

「ほんとだって。当事者に聞いたんだから」

「当事者？　誰だよ」

「神蔵のダンナ」

竜平の口から飛び出した名前に、危うくお茶を噴き出しかけた。あわてて紙おしぼりで口を拭う。

（そうだった）

竜平のやつ、何度か響と顔を合わせて、妙に懐いているんだった。響のメアドをゲットして、メールのやりとりもしているらしい。ちなみに俺はまだ、やっとメアド交換はしていない。携帯番号は不可抗力で知られてしまったが、死守できるものは死守する所存だ。これ以上、プライバシーにずかずか踏み込まれてたまるか。

動揺を押し隠して、残りのお茶を飲み干す。

他人事なら盛り上がれるネタかもしれないが、実際にやられてしまった当人にしてみれば、封じ込めるのに何年もかかった深刻なトラウマなわけで。

（しかも、八年ぶりにそのトラウマの元凶が現れた日には……）

思わず遠い目になろうともいうもの。

（あー……いやなこと思い出した）

気分転換に外に出て、飲み物の補充でもしてこよう。

「でもわかるよなー。思春期にシンゴと出会ってたら、俺も血迷ってたかも」

「竜平はないでしょ？　そんな繊細じゃないもの」

「鏡子さん……ひっでー」

人の話を肴《さかな》に盛り上がる連中を残し、俺は一人スタジオを抜け出した。

地下のスタジオにいたのでわからなかったが、外は小春日和《こはるびより》と言ってもいい晴天だった。日差しが眩《まぶ》しいくらいだ。

(――ん?)

買い出しを済ませてコンビニを出た俺の視界に、向かい側の歩道を連れ立って歩く二人組の少女が映り込んだ。艶やかな黒髪とマロンブラウンのツインテール。

意外なツーショットに立ち止まった俺の肩を、誰かが後ろからぽんと叩く。

「よっ、男殺し、なにぼんやり見て……お? 箱入りエリと柴田か。めずらしいコンビだな」

竜平も少し驚いたようだった。

俺たちの視線には気づかないまま、二人はなにやら真剣な面持ちで話し込みながら、駅への近道である細い道に入っていく。

(あの二人で駅前のカフェ?)

スタジオに戻る道すがら、胸の中で違和感を転がしていたら、傍《かたわ》らを歩く竜平がぽつりと低音を落とした。

「……にしても『デューク』のマネが見たら憤死《ふんし》しそうなカップリングだったな。よりによってあの柴田とツーショット」

「憤死って、そこまで神経尖らせるほどのことか？　あの年頃の女の子の話題なんて、撮影で一緒になったアイドル自慢とかだろ」

「それで済めばいいけどな。俺たちが思っている以上にお嬢さんたちはシビアなんだよ。事務所にとってなにが怖いって、おしゃべりの延長でギャラや待遇の話になって、モデルに不満を抱かれた挙げ句に最悪余所《よそ》に移られることだからな」

ちらっと竜平の横顔を窺うと、渋い表情をしている。

「今日のモデルの中じゃエリは別格だし、弱小『デューク』にとっちゃ社運を賭けた金の卵。大事大事にここまで育ててきて、ようやくって段でトンビに油揚げじゃたまらん。おいしいとこ取りされないためにも、監視の目は怠《おこた》れないってとこじゃねーの？」

「水沼氏、そんな大事なお役目放棄してどこへ行ったんだ？」

竜平がこっちを見た。だがすぐに視線を逸《そ》らしてつぶやく。

「ま、やつにもやつなりの事情があるんだろ」


一時半ジャストに撮影は再開された。ラストに向けてモデルと現場スタッフが一丸となって集中している最中、俺が相沢エリの異変に気づいたのは三時半過ぎ。

竜平の後ろからモデルの立ち位置をチェックしていて、彼女の青白い顔が目に留まった。そういえばさっきから一人ポーズも決まらないし、動きも悪い。

「竜平、エリの様子がおかしい」

背後からの俺の囁きに竜平がファインダーから顔を上げた直後、わっという声があがった。

「エリちゃん！」

一緒にポーズを取っていたモデルが、突然しゃがみ込んだエリの名を叫ぶ。白ホリの中に駆け込んだ鏡子さんが、振り向きざまにスタッフに指示を飛ばした。

「タオル！　水で濡らして持ってきて！」

男性スタッフ数人で、ぐったりとしたエリを抱きかかえ、そーっとソファに運んだ。鏡子さんが衣装のボタンを緩め、額に濡れタオルを載せる。

「風邪気味だってマネージャーが言っていた……体調が優れないのに無理していたのかも」

俺の推測に、竜平が「ライトの熱にやられたかね」と顔をしかめた。

その後の様子から、救急車を呼ぶほどではないと判断し、エリの残りの衣装は身長と体型が近い柴田に振り替えること、しばらく俺がエリに付き添うことを決めて、撮影再開。

数分後、エリが薄く目を開いた。横合いから覗き込む俺に気がつき、瞬きをする。起き上がろうとしたので止めた。

「まだ無理しちゃ駄目だ。寒くない？」

フリースのブランケットは被せてあるものの、スタジオの隅だしエアコンの温風が届かなくて寒いかなと思って尋《たず》ねてみたけれど、エリは答えずに手のひらで顔を覆ってしまう。

「代わりは柴田がやってくれているから大丈夫。水沼さんに連絡したから、迎えが来るまで横になっていて」

「すみ……ません」

細い指の隙間から漏れ聞こえる声が震えていて、エリが泣いているのを知った。不得手《ふえて》な展開に俺が言葉を探している間にも、途切れ途切れに謝罪が紡がれる。

「ほんと……に……すみ……ませ……私……プロ失格……ですね」

これ以上言わせるのは忍びなく、俺はエリの言葉を遮った。

「風邪をひいているんだから、体調が急に悪くなっても仕方がないよ。俺ももっと気をつけるべきだった。俺こそごめん」

謝ったあとは、すすり泣くエリの傍らに黙って座り続けた。

なにを言っても却って泣かせるだけだと思ったし、こんなときに気の利いた台詞を口にできるタイプじゃないという自覚もあったから。

竜平が「はい、終了！　お疲れ！」と撮影のフィニッシュを告げ、スタッフの「お疲れ様でーす！」コールがスタジオに反響した瞬間、正直ほっとした。

「ご心配おかけしまして申し訳ございません！」

「水沼さん、こちらこそすみませんでした。エリちゃん、容態を見て病院に連れて行ってあげてください」

「そうします。——それでは、失礼します」

連絡を受け、あわてふためいて戻ってきた水沼にエリを託し、エレベーターまで二人を見送る。

ふらふらと力の入らない体を水沼に支えられたエリは、まだかなり顔色が悪い。

でも青白い顔よりも、エレベーターのドアが閉まる寸前に垣間見《かいまみ》えた、彼女の大きな瞳を覆う昏《くら》い影にドキッとした。

まるでブラックホールみたいな、底知れぬ闇を湛《たた》えた瞳。

あとになって俺は、その昏い瞳を何度も思い出すことになるのだけれど……。

だがそのときは、撮影の後片付けという目前の急務が、彼女の存在自体を頭の片隅に追いやってしまった。


その日、スタッフ有志での軽い打ち上げのあと、神宮前《じんぐうまえ》の事務所兼住居マンションに戻ったのは夜の十一時過ぎだった。

朝からのスタジオワークで固くなってしまった筋肉を長風呂で緩め、バスルームから出た俺は、タオルで髪を拭きつつ冷蔵庫を覗き込んだ。ミネラルウォーターのボトルに手を伸ばしたとき、ドアチャイムが鳴る。とっさに壁の掛け時計を見た。深夜零時五分。

(誰だよ。日曜のこんな時間に)

訝《いぶか》しみながら玄関に向かい、ドアスコープから覗く。ドアの向こうには、スーツ姿の青年が生真面目な顔つきで立っていた。

「春《はる》くん!?」

驚いて、すぐに解錠してドアを開く。いきなりぺこりと頭を下げられた。

「どうしたの？」

「すみません……突然こんな夜遅くにお邪魔してしまいまして」

渋谷《しぶや》中央《ちゅうおう》署の新米刑事・春畑《はるはた》俊《しゅん》くんの顔は、恐縮そのもので、若干頬が引き攣《つ》っている。

「今日も仕事だったの？」

「はい、突発の事件で呼び出しがかかって出署していたんですが、九時頃に片がつきまして」

「それはお疲れ様」

「それで、夕食を兼ねていままで渋谷で呑んでいまして……」

「呑んでいたって――誰と？」

「俺だ」

小柄な春くんを横合いから押し退けるように、大柄な男がぬっと目の前に立った。刹那、眉間にくっきり縦皺《たてじわ》が走るのが自分でもわかった。なにしろ今朝の悪夢の記憶はまだ生々しい。

「……おまえかよ」

「ほら、みやげだ」

不機嫌丸出しの俺を気に留める素振りもなく、コンビニ袋を押しつけてきた。受け取ったら負けな気がして押し戻す。

「先輩、やっぱり出直しましょうよ。平間さん、お風呂上がりみたいで、まだ髪も濡れていますし、こんな時間にお邪魔するのは常識に外れています。日を改めましょう」

だが、響は春くんの諭《さと》すような物言い（どっちが上司だよ）など意にも介さず（ついでに家主の意向も確かめず）、さっさと靴を脱いで部屋に上がってしまう。勝手知ったると言わんばかりに内扉の向こうに消えた後ろ姿に、俺は腹立ち紛れのため息を吐いた。振り返って、まだ玄関先に佇んだままの春くんと目が合う。

「すみません……どうしても行くって、言い出したらきかなくて……止め切れませんでした」

項垂《うなだ》れた彼に首を振った。

「あいつが自己チューで横暴なのは春くんのせいじゃないよ。――ほら、春くんも上がって。春くんには例の事件でお世話になったから、一度ちゃんとお礼をしなきゃと思っていたんだ」

三ヶ月前の夏、俺の分不相応な好奇心と行動からジャンキーのひったくり犯を逆上させて、そのしっぺ返しにレイプされかけた――というのが、「例の事件」のあらまし。幸い未遂に終わったからよかったものの。

「そんな……あの事件は自分より先輩が……」

「とにかく上がってよ。と言ってもたいしたおもてなしもできないけど」

「いえ、ぼくはもうここで失礼します」

そう言わずにと腕を引っ張ったが、春くんの固辞は揺るがず、じりじりと後ずさって、最後は逃げるように走り去ってしまった。

「春くん、神蔵パイセン置いて帰っちゃったけど」

リビングに戻ると、置き去り男がソファですっかりくつろいでいた。

（ったく。どういう神経だよ）

大型肉食獣を思わせる百八十六の長身に、野性味を帯びた精悍《せいかん》なルックスと、スペックだけ並べた分にはワイルド系イケメンのこいつが、悪夢の元凶——神蔵響。

渋谷中央警察署　生活安全課一係所属の警部補。思い入れ偏向過多の直属の部下春くんによれば、「男前な上に声もイケボ。切れ者で無頼派《ぶらいは》。渋谷中央署一のモテ男。またの名をセクシーダイナマイツタフガイ」ってなことらしいけど……まあそれに、「強引で傲慢。やや昭和。自己チューでドヤ顔」くらい加味させてもらえれば、俺としてもかなり譲《ゆず》って認めなくもない。

補足すれば中・高校時代の悪友であり、さらに言えば高三の夏の——思い出したくもない最悪な黒歴史を引き金に、八年間、俺たちは絶縁状態にあった。

八年のブランクを経て、三ヶ月前に偶然の再会を果たすきっかけとなった事件で、俺は響に窮《きゅう》地《ち》を救われた。

そんな成り行きから、さすがに後ろ足で砂をかけるわけにもいかない弱みに付け込まれ、気がつけば俺の部屋はこいつのセカンドハウス状態。

こっちの露骨《ろこつ》な迷惑顔にも動じる気配はゼロ。職場が近いのをいいことに、週一ペースで乱入してきては、まるで八年のブランクなんて存在しなかったかのごとく横柄な態度で接してくる。

響は「黒歴史」には一切触れてこないし、俺もわざわざ蒸し返したくない。——で、なんとなく絶交の理由に触れずにいるうちに、いつの間にやら学生時代の延長みたいなつきあいがずるずる復活してしまっていて……。

本音じゃ時効なんか認めてないし、たとえ若気の至りだったとしても許すつもりはない。一回助けられたくらいでチャラにするつもりもない。

大体、反省の色が見えなさすぎるんだよ。ジョークのつもりだかなんだか知らないけど、普通(こめかみとはいえ)キスとかするかあ? それ、一番やっちゃ駄目なやつだろ。

あのときは俺も酔っていて不覚を取った。でも、今度あんなふざけたマネしやがったら……。

「シンゴ。水」

ネクタイを緩めながら気怠そうに命じる男を、全力で睨みつけてやった。

「ここはおまえの実家か!」

怒りに任せて怒鳴っても、片方の眉を不遜に上げるだけ。

「水くらいケチるなよ」

そういう問題じゃない!

「飲みたきゃ自分で冷蔵庫から出せ。俺はおまえのオカンでもヨメでもない!」

「そう怒鳴るなよ、頭に響く。どうやら少し呑みすぎたらしい。シンゴ、頼む」

低音で請うて、黒い瞳が俺をじっと見つめる。

「水を持ってきてくれたら、引き替えになんでもやる。命でも生涯の忠誠でも……めくるめく快楽でも」

「…………っ」

息を呑んだ直後、肉感的な唇の片端を上げた。にやにや笑いに、カッと頭に血が上る。

「死ね！　酔っ払い！」

叫ぶなり踵《きびす》を返し、耳障《みみざわ》りな笑い声から逃れるように、キッチンへと避難した。

(最悪。マジ最悪！)

夢のあいつもひどいが、現実のやつはさらにタチが悪い。

冷蔵庫のドアを引き開け、腹立ちまぎれに叫んだ。

「くたばれ!!」

流れ出してきた冷気で、少しだけクールダウン。

(……いちいちリアクションするから、あいつも図に乗るんだよな)

くそっと罵声を吐いてドアを閉めた。振り返った瞬間、作業台の上に置かれたコンビニ袋と目が合う。

響の手みやげ？

コンビニ袋の中を覗くと、乾き物のつまみに混じって、なぜかミルキーが一袋入っている。懐かしいパッケージを手に取り、思わずじっと見つめた。

(妙なこと覚えてやがる)

実は俺はこれに目がない。寮生活をしていた頃、外出のついでに「買ってきて」と頼むたび、響のやつ、いやそうにしてたっけ。ま、あの強面《こわもて》でミルキーとか、違和感ハンパないもんな。

「ちぇ」

卑怯じゃん、こんな不意討ち。

（仕方ない……ミルキーに免じて水くらい飲ませてやるか）

はーっと嘆息を零《こぼ》し、もう一度冷蔵庫を開けて、ミネラルウォーターのボトルを取り出した。グラスに注ぐ。

「ほら、水」

リビングに戻り、ソファのアームに長い脚を投げ出して就寝態勢に入っている男の前に、わざと音を立ててグラスを置いた。むっくり起き上がってきた響が、一気にグラスの水を飲み干す。

「美味い」

その声が本当に美味しそうに聞こえ、なんだかおかしくなった。

いつもこんなふうに素直なら、たまに会うくらいアリかなって思うけど。まあなんだ、やっぱ警察にコネがあるといろいろ便利だし。もちろん、その他大勢の友人の一人としてだけど。

「終電も行っちまったし、泊まっていくか」

前言撤回（怒）。ちょっと気を許すとこれだ。

「勝手に決めんな！」

「そう目くじら立てなくても朝一で出ていくさ。こいつを数時間借りるだけだ」

ソファの座面をぽんぽんと叩いて、ネクタイを緩める。しつこく睨みつけている俺の視線を躱《かわ》す狙いか、ローテーブルの上に置かれた週刊誌を手に取った。俺が今日、帰りがけにコンビニで買ったやつだ。ぱらぱらと捲ってつぶやく。

「めずらしいな。おまえがこの手の週刊誌を買うとは」

「…………」

毎度こいつのペースで押し切られる自分にも腹が立って、わざと返事をせずに背中を向けた。構うだけ時間の無駄だ。さっさと髪を乾かして寝よう。

「ひょっとしてこの記事が目当てか？　『イマドキＪＫの危険な日常』」

俺は踏み出しかけていた片足を戻し、くるりと振り返った。

「なんでわかった？」

「まさにその年代が、おまえの仕事のターゲット層だろ。前に、女子高校生モデルに手を焼いてるってぼやいてたじゃねえか」

そんなこと言ったっけ？

「で？　記事を読んでジェネレーションギャップを埋めるヒントは見つかったのか？」

問いかけに、首を横に振る。

「ますますわからなくなった。……でもなんか他人事って思えなくてさ」

「出会い系サイトに援助交際、ＪＫリフレ、ＪＫ撮影会を筆頭にしたＪＫビジネス。最近じゃネットの生中継で脱いだ下着を売るガキまでいやがるしな」

実感の籠《こも》った苦い低音。

そっか。こいつのいる生活安全課って、風俗関係も守備範囲なんだよな。

好奇心に駆られ、身を乗り出すようにして尋ねた。

「おまえも、そういう子たちと話したりするのか」

「少年犯罪は二係の管轄だが、風俗がらみの案件は一係と連携することもある」

「風俗……」

「リアル女子高校生を売りものにしたデートクラブの摘発《てきはつ》とかな。……デートクラブで働く子供の中には、数万の小遣い欲しさに売りに手を出すやつもいる」

思わず息を呑んだ。

「売りって……売春？」

過剰に盛られた記事かと思っていたけど、あながちネタでもないのか。

「ま、おまえの知り合いのモデルたちは、本業で稼げるから心配はないさ」

「……うん」

ぼんやりと、今日会ったばかりのティーンズモデルの顔を思い浮かべた。

生意気で、流行《はや》りものに目がなくて、屈託のない明るい笑顔。

そうだ。あの子たちに限って——と思った刹那《せつな》、なぜか最後に見た相沢エリの姿が脳裏に浮かんだ。

(だけど……あんなふうに昏い瞳をすることだってあるんだ)

俺が知っているのは、彼女たちの一面でしかない。半日一緒に過ごしただけで、本当の姿なんて見えるわけがない。

「そのくらいにしておけ。おまえがくよくよ悩んだところで、堕《お》ちるやつは堕ちる」

まるで心を読んだかのような言葉を投げかけられ、顔を振り上げた。どうやらずっとこっちを見ていたらしい響と目が合う。なにもかもお見通しといった顔つきで、響が言った。

「思春期のガキ相手にガチで組み合ってちゃ身が持たないぞ。楽しい現場はいいが、一線を引いて深入りはするな」

「そんなこと言われなくたってわかってるよ」

俺だって伊達《だて》に長年、彼女たちに振り回されてきたわけじゃない。

「ならいいがな」

肩をすくめる男を睨んだ。これ以上、偉そうなお説教は御免だ。ふたたび背を向けようとして、不意に腕を掴まれる。

「部屋が寒い」

図々しいクレームにイラッときた。

「だったら暖房つけろ……っ！」

反論の途中でぐいっと引っ張られ、響の膝の上に尻もちをつく。

「うわっ」

あわてて立ち上がろうとしたが、一瞬遅かった。抱き込むように、後ろから腕を回されてしまう。

「はな……っ」

「おまえがいい」

耳殻に掠れた低音を吹き込まれ、ぞくっと背筋が震えた。

背中に感じる硬い胸の張り。抱え込む腕の逞《たくま》しさ。接している部分から伝わる熱。

意識するのと同時に、心臓がものすごい勢いで脈を打ち始める。

ドッ、ドッ、ドッ、ドッ。

どんどん大きくなっていく心臓の音が、いまにも後ろの男に伝わってしまいそうな気がして、たまらず腕を乱暴に振り解いた。

膝の上から立ち上がり、振り向き様に睨《ね》めつける。

「そんな顔をすると、却ってそそるぞ？」

唇の端で笑った男の肩をどんっと突き、リビングからダッシュで飛び出して寝室に駆け込んだ。

ガチャリと音高く鍵をかけ、ドアを背にしてずるずると沈み込む。自分で自分を抱き締め、二の腕をぎゅっと握った。

（油断も隙もねえええぇ！）

あんなケダモノ男、その他大勢の一人だって願い下げだ!!

2

「あ！　相沢エリ」

カフェのガラス越しに、男と連れ立って歩く少女を発見した俺は、覚えず腰を浮かした。

「どれ……え？　あれマジ相沢？」

同じように腰を浮かせて、竜平が声を裏返らせる。竜平の隣の鏡子さんも、つられるように顔を窓の外に向けた。

『Lovely』の撮影から三週間が経過した月曜日。次号の打ち合わせを兼ねてランチをしようと三人で集まり、渋谷の公園通り沿いから一本裏に入った通りにあるカフェに腰を落ち着けた——その直後だった。

「すっげえイメチェン。まるで別人じゃん。シンゴ、おまえよくわかったな。さすがは形状記憶能力保持者」

竜平の言う「形状記憶能力」とは、人の顔や体型の特徴を一目で記憶してしまう俺のささやかな特技だ。お忍び芸能人の変装も見破れて、一部のミーハーな友人には好評なのだが、今回ばかりは竜平のヨイショも右から左。

俺たちには気づかず、カフェの前を通り過ぎて小さくなっていくカップルを、視線で追うことに集中する。

アニマルプリントのショート丈ブルゾンの背中で、明るくカラーリングされたロングヘアが揺れている。革のミニスカから覗く、すらりと長い美脚。足許はエナメルの十センチピンヒール。肩にはハイブランドのショルダーバッグ。

キャメルのダッフルコートに膝丈のフレアスカートという、学生らしいコーデだった撮影時の相沢エリとはまるで別人。秋冬流行のメイクに彩《いろど》られた顔立ちは大人びていて、とても高校生には見えなかった。

「おー、しっかり腕なんか組んじゃって。男のほうは鼻の下伸び切ってるし。カレシさ、けっこうオヤジじゃね？　年の差ってやつ？」

「援交じゃないでしょうね？」

「まさか……エリに限ってそれはないでしょ」

もはや打ち合わせどころじゃない。

「そういやさ、一昨日の撮影現場でエリと同じ高校のモデルと一緒だったんだけど、気になること言ってたんだよな」

到着したパスタには目もくれずに竜平が切り出した。

「エリさ、不登校が続いているらしい。それまでが真面目だっただけに、学校側も困惑してるって話だった」

「不登校っていつから？」

「少なくとも、前回の『Lovely』の撮影まではあんなじゃなかったわよ」

顔を曇らせた鏡子さんも、運ばれてきたサラダランチに手をつけていない。

「学校のほうはここ三週間だって言ってた。一応保護者から診断書の提出があって、病欠扱いになってるらしいけどな」

（三週間？）

ってことは、あの撮影のすぐあとあたりから？

その符合に気がついたとたんだった。スタジオのソファで肩を震わせて泣いていた、エリの姿が脳裏に蘇ってくる。

スタジオの外での彼女たちが、どんな別の顔を持っていたって関係ないと、そう割り切っているつもりだった。

なのに口ほどにもない俺は、エリの激変を目の当たりにして、ひどく動揺している。

「優等生だったエリが学校さぼってカレシとデートとは、やらかしてんなあ。ま、あの年頃の子はオトコできると激変するけどな」

ティーンズモデルを撮ることにかけては百戦錬磨《ひゃくせんれんま》の竜平も、エリの変貌には衝撃を受けているらしいのが、その口調からわかった。

「あれ、本当にカレシかな。若く見積もってアラフォー……下手すりゃアラフィフいってそうだったけど」

お世辞にもイケてなかった男のルックスを思い浮かべ、俺は首を捻る。強いて長所を挙げれば、リッチそうではあったけど（でも全身ハイブランドで固めるのはいただけない）。

「あの子、父親がいないからね。在日米軍の軍人だったらしいけど、あの子が生まれてすぐ離婚して国に帰っちゃったみたいだから」

「ファザコンってやつ？」

竜平の問いかけに鏡子さんがうなずく。

「根が真面目な子ほど踏み外すと極端だし、エリの場合は家庭環境も複雑なとこあるから。けどね、あたしも一時期グレてたからわかるけど、最終的には自分で立ち直るしかないからね」

そう言って、鏡子さんはなぜか俺の顔を見た。

「中途半端な同情や干渉なら、しないほうがマシなのよ」

二人と別れて神宮前のマンションに戻り、PC《パソコン》の前に座ってはみたものの、どうにも仕事に集中できず、結局三十分でリタイアした。アーロンチェアから立ち上がり、んーっと伸びをする。

（ハーブティでも淹《い》れるか）

ケトルを火にかけ、ハーブティのティーバッグをマグカップにセットしながら、気がつくとカフェでのやりとりを反芻《はんすう》していた。

――中途半端な同情や干渉なら、しないほうがマシなのよ。

あれってやっぱ釘を刺されたんだろうな。

臆病でなかなか一歩が踏み出せないくせに、一度沼にハマるとズブズブ行く――俺の悪癖を見切った上での、賢い鏡子さんらしい牽制《けんせい》。

たしかに彼女の意見は正論で、分別ある大人の見解ってもの。もし今日のエリの様子を人づてに聞いたのなら、俺だって同じ結論に達していただろうと思う。

けれど、この目でエリの変貌を見てしまったインパクトは強烈で。

あの『Lovely』の撮影のあとから、不登校が始まったというエリ。あの日、昼の休憩が終わって……たしか午後からだった。彼女の動きが急に悪くなって、そして――倒れた。

ピ――ッ！

ケトルから蒸気が吹き出し、俺はあわてて火を止めた。マグカップにお湯を注ぎつつ、途切れた思考を手繰《たぐ》り寄せる。

あのときエリが泣いていたことを、竜平も鏡子さんも知らない。最後のあの昏い瞳も見ていない。両方共知っているのは俺だけ……。

――援交じゃないでしょうね？

鏡子さんの声がリフレインした。

（いや、まさか……ね）

でもいまになって冷静に思い返せば返すほど、あのカップルはちぐはぐな気がしてくる。これ見よがしにベタベタしているのが逆に空々しくて……。

引っかかる。気になる。

「うー……っ」

唸《うな》り声を発して髪を掻きむしった瞬間、今度は響の低音がリフレインしてきた。

——楽しい現場はいいが、一線を引いて深入りはするな。

（あいつにも釘を刺されたんだっけ）

だよな。俺とエリは単なる仕事仲間。友人というほど近い間柄でもないし、これ以上関わる義理もない。

そう自分に言い聞かせる一方で、視線はローテーブルの週刊誌に引き寄せられていた。

——デートクラブで働く子供の中には、数万の小遣い欲しさに売りに手を出すやつもいる。

数万の小遣いと引き換えに、見知らぬ男に身を委《ゆだ》ねる少女たち。その未熟な精神に付け込み、暴利を貪る仲介業者。

はーっと深いため息が出た。

（ほっとけないよ、やっぱ）

エリが個人的に知り合った相手ならともかく、あのオヤジとの間に、なんらかの組織が介在するならマジでやばい。とりあえずそのあたりを探ってみて、心配いらないようだったらそっと身を退く——というのはどうだろう。

まさしく鏡子さんが言うところの中途半端な干渉だけど、なにもしないで悶々《もんもん》としているよりは幾分かマシな気がする。

よし！　と膝を打ってはっと気がついた。カマトトぶるわけじゃないが、俺はエロ方面が不得手で、二十六年間避けて通してきた。実践は言うに及ばず、そっちのエリアに近づいたこともない。

探るもなにも、どこからどう攻めたものか、まるで見当がつかない。

この手の相談に向いた人材といえば、まず浮かぶのは響だけど。でもあの野郎、三週間前の夜の無礼な仕打ちに詫びの一つもないまま、翌朝もいつの間にかいなくなっていて、それ以降、連絡一本ないしな。

……とりあえずやつは保留。——となると。

腕時計を見る。三時二十五分か。

仕事机の抽斗《ひきだし》を開けて、いつだったか無理矢理押しつけられたまま放置してあった、プリクラやらキラキラシールやらでデコられた名刺を探し出す。バックポケットから引き出したスマホに、見つけた名刺に並んでいる数字を打ち込んだ。

『マジでマジでシンゴくんッ？　ホンモノ⁉　連絡くれるなんてアガルーッ！』

柴田ユカリのテンションの高さに、一瞬怯みかけてぐっと堪《こら》える。

「いま話していて大丈夫？」

『へーキへーキ！　なになに？』

前のめりな柴田の勢いに呑まれている場合じゃない。ここは心を鬼にして、単刀直入ストレートに。

「あのさ、前回の『Lovely』の撮影のとき、昼の休憩で相沢と一緒だっただろ？　そのときの彼女の様子、どうだった？」

電話口の向こうが急に静かになり、答えが返ってくるまでにたっぷり十秒かかった。

『……えー？　どうってなにがァ？』

しかも声が完全にふて腐れている。……仕方ない。こうなったらもう、空気読めないキャラに徹するしかないと開き直る。

「おかしなところなかった？　柴田と話してて、なんかショック受けてる感じとか」

『なんでシンゴくんがそんなこと聞くのォ？　てかあのコどーかしたの？』

流れ的に当然そこに行き着く質問をされて、うっと詰まった。

しまった。迂闊《うかつ》にも、そのあたりの言い訳を考えてなかった。

柴田といえば、噂好きなモデルの中でも「スピーカー」として名高い。本当のことを話して、モデル仲間に広まっても困るし……と焦っていると。

『あー、わかった。あのコ、事務所ともめてるんでしょ？　シンゴくん、マネから相談されたんだ。そうでしょ？』

柴田のほうから思いがけない助け船が出された。これはありがたく便乗してしまうべき？

「うん、まあ……その」

俺の曖昧なリアクションは、それでも警戒心を和《やわ》らげるだけの効果があったらしく、電話口の柴田は俄然《がぜん》饒舌《じょうぜつ》になった。

『やっぱねー！　あのコの事務所弱小だからギャラの手取り少ないんだ。ウチ、あそこより二割は多いし。その話したらショック受けたみたいで。あそこのママいま働いてなくって、あの子が養ってるんだって。だったら割りがいいほうがいいじゃん？　拘束時間同じならさァ。だからアタシ、紹介したんだ』

「紹介って、柴田の事務所？」

『ううん、もっと割りのいいトコ。一ヶ月くらい前にセンター街で声かけてきたスカウターが、話だけって言うからスタバでお茶したんだけど、超ギャラよくって。アタシはいまの事務所気に入ってるから移る気ないけど、そのときもらった名刺、あのコにあげたの』

竜平の話が誇張でなかったことを思い知りながら、俺は柴田に確認した。

「その事務所の名前って覚えてる？」

『アルファベットのMに数字の2で《M2》。住所は渋谷の道玄坂《どうげんざか》だったよ』

　柴田に礼を言い、エリに事務所を紹介した件は他言しないようにと（バーターとして提示された食事つきデート一回分と引き換えに）固く念を押して通話を終えた。

「道玄坂の《M2》……か」

　業界関係者の口に上ったことのない名前だ。俺も初耳。

　所属事務所の中間搾取《さくしゅ》に腹を立てたエリが、育てられた恩も義理もうっちゃって即、その《M2》とやらに駆け込んだとは思えないし、変貌の理由が柴田の説どおりすべて金銭絡みとは、にわかに信じがたいけど。

　PCで、「モデルタレントエージェンシー《M2》」で検索してみた。ヒットしない。「芸能プロダクション《M2》」でも検索をかけてみたがやはり引っかからなかった。

　どうやら自社ホームページもなければ、ブログも、SNSもやっていないようだ。

　そのわりにはギャラが破格だってあたりが怪しい。

　一口に道玄坂といっても下から上までけっこう長いし、横道に入れば無数のビルがひしめいている。すべてのビルの一室一室をしらみ潰しに当たるなんて実質不可能だ。

　早々と壁にぶち当たった俺の脳裏に、「素人《しろうと》の限界」という単語と、いかにもその単語を上から言いそうな男の顔が過《よぎ》った。

（あの界隈《かいわい》ってあいつのホームだよな。まがりなりにもその道のプロだし）

　できることなら借りなんか一円たりとも作りたくないっていうのが本音。なおのこと「またおまえは」なんて説教食らうのも面倒。

でもこの三ヶ月、ひとの家をさんざっぱら別宅扱いしてくれたことを思えば、多少の損失補塡《ほてん》があって然《しか》るべきという気もする。

つまり、借りを作るんじゃなくて、貸しをチャラにするだけ。

(要するに、うまいこと情報だけ引き出しゃいいんだよな?)

そう思ったら少し気が楽になって、俺はスマホを持ち直した。


いつもは、なんのための携帯なんだと苛つくほどに繋がらないのだが、今日はめずらしく一回で繋がった。

『シンゴか。どうした?』

二十日ぶりに聞く声は、いささか拍子抜けするほど、まるでいつもの調子だった。

あれきり連絡がないし、顔も出さないから、もしかして気まずく思ったりしてんのか? なんて思ってたけど考えすぎでしたね。だと思った。

「仕事中悪いな。実はちょっと頼みがあって」

『おまえが俺にお願いとはめずらしいな。ちょっと待ってろ。野暮用を片付ける』

なぜかうれしそうな声を出したあとで保留音が聞こえてきて、一分ほどで解除された。

『――で? 頼みってのはなんだ』

「忙しそうだけど、いいの？」

『人間、暮れも押し迫ってくると一年の帳尻を合わせようとするからな。犯罪者も然り。おかげでこのひと月は公休返上で仕事三昧《ざんまい》だ』

つまり、三週間の音信不通は激務故だったってことか。そんな多忙な相手に、さらに面倒事を押しつけるのはちょっと気が引ける。

「本当にいいのか？」

『うだうだ言ってると切るぞ』

マジで切りかねない口調に、あわてて要件を切り出した。

「渋谷の道玄坂周辺に《M２》っていうモデルタレントエージェンシーがあるはずなんだけど、そこの情報が欲しいんだ」

『その《M２》とやらとおまえはどういった関わりだ』

「………」

言わずもがなの切り返しが来て、答えに窮《きゅう》した一瞬後、不機嫌丸出しの低音に突っ込まれる。

『おい。まさかまた妙なことに首突っ込んでるんじゃないだろうな』

うまいこと情報だけ引き出そうなんて目論見《もくろみ》がとんでもなく甘かったことを知り、臍《ほぞ》を噬《か》む。

「首を突っ込むとかじゃなくて……ただその、ちょっと気になることがあって」

『それがアダになって痛い目みたの、たった三月前だろうが』

イタタッ。痛いとこ突いてきやがる。

貞操の危機を救ってくれた張本人相手では、このかけ合い、俺の分が悪い。それは認めるが、俺が動けばしくじると、端《はな》から決めてかかる言い種《ぐさ》にはかちんときた。

「だったらいいよ。自分で探すから」

つい、できもしない強がりが口をついて出てしまう。

『ほほう、ご自分で？　ちなみにどうやって探すつもりかお聞かせいただこうか』

嫌みな物言いに、カッと頭に血が上った。

「しらみ潰しに当たる。足で稼ぐのは捜査の基本だろ？」

『昭和じゃないんだ。デカの靴底がいつも擦り切れてるなんてのはドラマの刷り込み、茶の間の妄想だぞ』

鼻であしらわれ、さらに頭が沸騰する。通話を終わらせようと、終了ボタンに指を伸ばしかけた矢先。

『今夜七時……いや、八時』

「え？」

『一時間なら抜け出せるから部屋で待っていろ。時間を見つけて署のデータベースを当たっておいてやる』

「いいの？」

『ほっときゃおまえ、のこのこ道玄坂に出かけていくだろうが。あの界隈を、おまえみたいのが素人丸出しでクンクン嗅《か》ぎ回ってみろ。速攻で事務所に連れ込まれて輪姦されてシャブ浸けだ』

「……おまえな……」

『師走《しわす》のくそ忙しい中、おまえを捜して駆けずり回るなんざまっぴら御免なんだよ。じゃあ、八時な』

一方的な汚名を返上する前に通話は切れていた。


約束の八時の五分前に到着した響は、例によって「お邪魔します」の挨拶もなしに部屋に上がり込んできて、ブリーフケースから取り出した透明ファイルをローテーブルにぽんと投げ出したかと思うと、百八十六の長身をソファに深々と沈めた。

血走った赤い目。額に落ちた黒髪。がっしりとした顎に散らばる無精髭。日々酷使されているのか、どことなくくたびれて見えるグレイのスーツ。だらしなく緩み、首にかろうじて引っかかっているネクタイ。そんな全体的にお疲れな様子でも、他者を威圧するオーラは健在。恵まれた体格と野性的なルックスのせいもあるけど、元凶はやっぱりこの刑事特有の目つきだろうな。

ま、俺には通用しないけど。

「ちゃんとチャイム鳴らせよ。自分ちみたいな入り方すんなよ」

こいつにスペアキーをキープされて以降、このクレームが挨拶代わりだ。ったく。

「時間がないんだ。小言はあと回しにしてとっとと要件を話せ」

俺のクレームを偉そうに受け流した男が、スーツの内ポケットからマルボロを取り出し、肉感的な唇の端に咥《くわ》えた。

俺自身吸わないし、よってこの部屋が禁煙であることを、三ヶ月間ことあるごとに言い聞かせてきたのだが、結局徒労だった。続けて携帯灰皿を取り出した（これだけはどうにか習慣づけさせた）男から、透明ファイルへと視線を転じる。

いそいそと手を伸ばした瞬間、ファイルがすっと身を引いた。ひらっと浮き上がったファイルを追って顔を上げ、咥え煙草の浅黒い貌に出くわす。これ見よがしにひらひらとファイルを振りながら、響が言った。

「そうガッツクな。まずは事と次第を説明してもらおうか」

黒い瞳を睨みつけ、なんとかバックレられないかと思案したけど、妙案も浮かばず、観念して手を引っ込める。

響の横に腰を下ろして説明を始めた。タイムリミットがあるそうだから、なるべく簡潔に要領よく。タブレットで前回の『Lovely』の撮影写真を見せ、「この右側の子が相沢エリ」と指し示すと、響は眉根を寄せて低く唸《うな》った。

「こんな棒みたいな細っこい小娘が金の卵なのか？」

「実物を見たらおまえだって納得するよ」

「いずれにせよ、十五、六だろ？　ガキは守備範囲外なんでな」

「老若男女問わずにストライクゾーン広いのかと思ってたけど？」

にっこり笑って言ってやった俺に、響は片方の眉だけを器用に上げた。

「あいにくとロリの気はない。ガキだったらまだ熟女のほうがマシだな」

へーそー。たしかに昭和繋がりで熟女にモテそうだもんな。と突っ込んでやりたかったが、ことん脱線しそうなんで自粛。軌道修正をはかる。

「時間ないんだろ。ほらほら早く」

催促して、やっとファイルが手許に来た。ファイルの中身はA4の紙が一枚。ものの数秒で読破できる。

「こんだけ？」

散々焦《じ》らされた挙げ句が、住所と電話番号と代表者名の二百文字じゃ、文句の一つも出ようってもん。

俺をぎろりと睨んだ響が、吸い差しを携帯灰皿に放り込んで、盛大なため息を吐いた。

「おまえな……夕飯食う時間潰して署のサーバーにアクセスして当該データをプリントアウトしてわざわざ来てやったのに『こんだけ』とはなにごとだ。恩知らずめ」

「そりゃ住所がわかったのは助かったけど、でも警察のデータベースって言うからもっと期待するじゃん」

「警察は興信所じゃない。第一な、うちにデータがあったってだけで充分な摑みだろうが」

「摑み？」

首を傾げる俺を、デキの悪い生徒を憂《うれ》うような眼差《まなざ》しで響が見る。

「日の当たる表街道でまっとうな商売している組織は、警察のサーバーで管理されたりしないんだよ」

「ということはつまり？」

「なんらかの後ろ暗い過去がある。もしくは、反社会的勢力との繋がりが認められる。データの冒頭に数字とアルファベットが並んでるだろ。ＡＢＣはランクづけだ。こいつはC、ほどほどに注意ってとこだな」

「ほどほどに？」

「いまのところは表だった違法行為は認められないが、暇があったらガサ入れしておけレベルだな。有限会社だが、おおかた代表取締役に前科アリの人間が名を連ねているんだろう。そいつが指定暴力団の構成員か、風俗営業取締法及び売春防止法違反のかどでしょっぴかれた前科持ちかまでは、このデータからはわからない」

淡々とした口調の解説に、ふむふむとうなずいていたが、最後の「指定暴力団」「売春」発言でぴくっと肩を揺らし、顔を振り上げた。

動揺の滲《にじ》む俺の表情を見て、響が口角を上げる。

「どうした？　いまからビビっているようじゃお姫様救出は先が遠いな」

「ビビってなんか……」

いないと断言してやりたかったけど、こいつの口から出ると物騒な単語がよりリアリティを持って迫ってくる気がして。

「――で、どうする」

新しい煙草を唇にねじ込んだ響が問いかけてきた。

「どうするって？」

「住所と電話番号がわかったところで、虎穴《こけつ》に身を投じてまで、そのお嬢ちゃんを救い出さなきゃならない責務がおまえにあるのか」

「責務なんて、そんな大袈裟《おおげさ》なもんないよ」

やや投げやりに答えた俺に一瞥をくれ、響はカリカリと顎を指で掻く。

「んじゃ、惚れてんのか」

「ばーか。妹より下の子なんてそれこそ守備範囲外だよ」

「だったらほっとけ」

あっさりと放言を口にした男の顔を、あらん限りの非難を込めて、俺は睨みつけた。

「おまえな。他人事だと思って」

「充分他人事だ。いいか？　ものには順番ってもんがある。まず親が動いて、次に近親者が動き、それでもどうにもならなかったら最後は警察が動く。その段にきて、縁がありゃ俺が動くことがあるかもしれないが、いずれにせよおまえの出番はない」

眉一つ動かさない鉄壁のポーカーフェイスが断言する。濃い眉の下の黒い瞳を、このときほど冷たく感じたことはなかった。

くそ。こんな冷血漢に相談するんじゃなかった。

「このまま見て見ぬフリしろっていうのかよ?」

「なにもしないことが結果的に功を奏す場合もあるんだよ。今回の件もその娘の将来を考えて、周りは秘密裏に事態を収束させようとしているのかもしれない。それをおまえが余計なちょっかいを出したことで」

「余計なちょっかいってなんだよ」

「電話で話したモデルが他言しない確証は、本当にあるのか?」

(うっ……)

言われてみれば、交換条件付きとはいえあの柴田にオフレコを期待したのは、無理があったかもしれない。

狼狽《ろうばい》を隠せない俺を、響が呆れ顔で見る。

横たわった気まずい沈黙を破り、アラームが鳴った。ジャケットの内ポケットに手を突っ込み、スマホを取り出してアラームを止めた響が、根元近くまで減ったマルボロを携帯灰皿に放り込む。

「時間だ」

ブリーフケースを摑んでソファから立ち上がった。

「とにかく、先走るなよ。どうしても気が収まらないなら、そのマネージャーとやらに電話してしっかり監視させとけ」

最後はそんな念押しを残し、入ってきたときと同様、挨拶もなくリビングを出ていった——と思ったら、閉じかけた内扉が開き、隙間から上半身が覗く。

「明後日は一ヶ月ぶりの公休日だ。ひさびさにデートでもするか」

提案するだけして、こっちの返答も聞かずにバタンと内扉が閉まった。

「……はあ!?」

虚を衝かれて、しばし放心したのちに、腹の底からフツフツと憤《いきどお》りが込み上げてくる。

こっちはシリアスに悩んでいるのに……。

「ふざけんな!!」

3

翌日、俺は『デューク』の水沼マネージャーの携帯に電話をかけた。

冷血刑事が帰ったあと、一晩じっくり考えて、やっぱり知らないふりはできないという結論に至った。かといって、これ以上俺が下手に動いて事態がこじれるのも困る。なので悔しいけれど、響の提案に従うことにしたのだ。

「『デューク』の水沼さんですか？　以前に『Lovely』の撮影で名刺交換させていただいたデザイナーの平間です。いま少しお話しして大丈夫ですか」

水沼本人であることを確認した俺は、挨拶もそこそこに切り出した。

「本日ご連絡させていただいたのは、相沢エリさんの件です」

『エリが……なにか？』

警戒心剝き出しの声で、水沼が探りを入れてくる。当然だが、金の卵の激変については承知しているようだ。

「昨日渋谷で見かけました。撮影のときとはずいぶん雰囲気が違って……かなり年輩の男性と一緒でした」

『…………』

「実はですね、モデル仲間の一人がエリさんに、あまり質のよくないエージェンシーを紹介してしまったようなんです。実際にエリさんがそこを訪ねたかどうかまではわからないんですが」

『そのモデルとは誰ですか？』

突如、面食らうほどの強い詰問《きつもん》の声が届く。

「え？　いや、それは……」

『誰なんです？』

「それは……言えません」

たしかに柴田の言動は軽率だったかもしれない。だけど、どんなに世慣れていても所詮《しょせん》はまだ高校生なわけで。おしゃべりの延長から出た話だし、悪気があったわけじゃないと自分は思う。

——というような俺なりの見解を、柴田の名前を伏せて話した。

「ですから、個人的に責めるのはちょっと……」

『わかりました』

弁護の途中で、陰気な声音に遮られる。

『平間さんがどうしても明かせないとおっしゃるのならけっこうです』

こいつ案外ものわかりがいいじゃないか、なんて胸を撫で下ろしたのも束の間。

『見当はつきますから、私が直接当たります』

「水沼さん！　それじゃ全然わかってな……」

すべてを言い切る前にふたたび遮られた。

『そちらはエリの弱みを握ったつもりかもしれませんが』

「弱み？」

『私のマネージャー生命に賭けても、強請《ゆすり》たかりの類いには屈しませんから、そのおつもりで』

ぽかーんと口を開ける。ややあって自分が着せられた「濡れ衣」に気づいても、まだ当惑のほうが強くて。

「強請って……まさか……俺がですか？」

『ほかに誰がいますか』

我ながら鈍いと思うけれど、ここまできてやっと人並みの憤怒《ふんぬ》が込み上げてくる。

「冗談じゃない！　なんでここまでの話の流れからそんな穿《うが》った結論に行き着くんですか！」

『とにかく、エリはいま大事な時期なんです』

こっちの反撃に応じるつもりはないらしく、水沼は会話を打ち切ろうとしていた。

『親切心からのご忠告ということでしたら先程のお話は胸にしまって、これまで同様に遠くからエリを見守ってやってください。――では、会議の時間ですので』

「水沼さん、話はまだ終わってな……」

ブツッ！　ツー、ツー、ツー……。

スマホを耳に当てたまま、俺はしばらく呆然《ぼうぜん》と立ち尽くした。

あんな失礼な物言いをされて腹が立たないわけがない。だけど、その言いがかりがあまりに的外れで、却って毒気を抜かれたというか。

なんとか気を取り直し、さっきのやりとりを振り返って考察する。

紹介したモデルの名前を知りたがったのを鑑《かんが》みるに、おそらくだが水沼は、エリの変貌は把握していても、なぜそうなったのかという理由までは突きとめられていないのではないか。

情報は欲しい。だが、エリのこれからのことを考えれば、当事者は極力少数に抑えたい。

だから、俺を排除しようとした？

あの唐突な「強請たかり発言」も、部外者を怒らせて遠ざけようという思惑から出たもの？

（……その可能性はある）

どのような思惑があったにせよ、納得するのと腹の虫が治まるのはまた別問題だ。けれど迷路にいるエリを正しい出口に導きたいという気持ちは、俺も彼も同じで、俺たちが目指すゴールは一緒のはず。

あんなこと言われて正直むかつくけど、水沼が柴田に行き着いてしまう前に、俺が知っている情報を彼に提供するべきなんだろうか。

悶々と思案していたら、手許のスマホがピリリリッと鳴り始めた。

（まさか水沼？）

あわてて見たディスプレイには【竜平】の名前。

『シンゴ？　もしかして誰かのＴＥＬ待ちだった？』

「いや、大丈夫。おまえこそどうした？」

『実は、例の相沢の件なんだけどさ。あのあと家に戻ってから鏡子さんと話して、やっぱ気になるってことになってさー』

照れくさそうな声色に、聞いているこっちまで背中がこそばゆくなった。

なんだよ。いい年してお節介なの、俺だけじゃないじゃん。

『学校だけじゃなくてモデルの仕事も休んでるみたいだし、このままどっちも辞めちゃうの、もったいないよな。なんとかしたいけど、だからって俺たちがしゃしゃり出て話が大事《おおごと》になるのもなんだしさ。おまえ、マネと名刺交換してただろ？　なにげにサグリ入れらんねーかな』

「それが、もうやってみたんだけどさ」

これまでの経緯をかいつまんで話すと、竜平が『まじかー』と驚きの声を出す。

「気持ちはわからないでもないけど、ガチャ切りはないわ」

『まあ、水沼なりの事情ってやつもあるしなあ』

竜平の意味深長なつぶやきを聞きとがめた。

「事情って？」

『うーん、生臭い話だからおまえの耳には入れたくなかったんだけどさ。実はあのマネとエリママ、デキてるらしいんだよな』

「えっ」

思いっ切り絶句する。いくらなんでも斜め上すぎた。

『あれでママさん、なかなかお盛んなんだよ。水沼以外にも、複数の業界関係者と浮き名を流しててさ』

「ちょ……ちょっと待て。エリママの話だよな？」

『おまえが言いたいことはわかる。けどよく見りゃ目鼻立ちは整ってるし、あれはあれで需要あるんじゃねーの？　熟女好きとかに』

「そういう問題かよ……っていうか水沼のやつ、公私混同もいいとこじゃん。事務所のモデルの母親に手を出すなんて」

呆れ返っていて、はたと気づいた。

「もしかして時間差でスタジオ抜け出した、あれって……」

『ラブホでご休憩ってやつだな』

鷹揚《おうよう》に肯定され、大声を出す。

「おまえ、わかってたのかよ!?」

『別の撮影でも何度か同じようなことがあったからな。けどさ、あの二人にぴったり張りつかれているよりか、俺たちは楽だろ？』

「そりゃまあ……そうだけど」

内心では腑《ふ》に落ちないまま、口先で同意する。

(そうか。鏡子さんの言っていた「複雑な家庭環境」って、この意味も含んでいたのか)

――あそこのママいま働いてなくって、あの子が養ってるんだって。

あのときは聞き流していた柴田の台詞も、複雑な意味合いを帯びてリフレインしてくる。

「水沼のやつ、その負い目があるから一人で背負い込もうとしているのか」

『それが原因のすべてかどうかはわからないにせよ、自分とママの関係がエリの不登校の一因である可能性は否めない。このままエリが道を踏み外した日には、責任取らされてクビは必至だしな』

「……最っ低な野郎だな」

吐き出すように罵倒したら、『まあまあ』とフォローが入った。

『もうやっちまったことはしょうがない。それよかさ。俺、実は神蔵のダンナ、当てにしてんだけど。いざとなったら警察を頼るのもありかなって』

「響のやつは全然まったく当てにならないよ。年末でお忙しいんだとさ」

『そっかあ。……となると前途多難だな』

たちまちトーンダウンした竜平に、俺はハッパをかけた。

「でも、俺たち三人で協力し合えば」

『ごめん……俺明日からロケなんだよ。パリに一週間。当然、鏡子さんも一緒』

申し訳なさそうな報告に、彼らの力添えを信じていた俺も一気に意気消沈……している場合じゃない。エリの変貌の一因が、ママと水沼の関係にあるかもしれない可能性を知ってしまったからにはなおのこと。

この時点で俺は、水沼と道を分かつ腹を固めていた。

あんなやつに任せておけるもんか。

自分の保身のことしか考えていないような陰険むっつりスケベに！

おまえたちが帰ってくる頃までには目星をつけておくからと大見得を切ると、竜平はますます不安そうな声を出した。

『絶対無理すんなよ？　なんかやばくなったら、意地張ってないで神蔵のダンナを頼れよ？』


竜平との通話を終えた俺は、高揚《こうよう》した気分の勢いを借りて、響からせしめたファイルを手にした。そのまま自分に躊躇《ためら》う暇を与えず、《M2》のナンバーをタップする。

『はい、《M2》でございます！』

やけに明るい男の声が鼓膜にキーンと響く。

「もしもし、あの」

えーい、ままよ――と切り出した。

「おたくにエリちゃんはいますか」

まるで子供の電話だと手のひらに汗を掻いたが、どうやら相手はこの手の応対に馴れているらしい。訝しがるふうでもなく、システマティックな応答が返ってきた。

『女の子のご指名でしたら《ヴィーナス》に電話をお繋ぎしますので、そのまま少々お待ちください』

（ヴィーナス？）

初耳の単語に小首を傾げているうちに保留音が途切れ、またもやテンションの高い声が聞こえてくる。

『お待たせしました！　あなたとリアルＪＫのデートスポット《ヴィーナス》です！』

リアルＪＫ？　デートスポット？

面食らいつつも、どうやら《ヴィーナス》が、週刊誌の記事内で「デートクラブ」と記されていた業態であることは理解した。

（……どうする？　フルネームを出したら怪しまれるよな）

数秒迷った末に、先程と同じ台詞を繰り返すと、新手の男は残念そうに言った。

『エリちゃんは今日出ていないんですよ。明日は入店予定になってます。ただあくまでも予定です。塾とかクラブ活動とか彼女たちも忙しくて、急に来られなくなっちゃうこともあるんで』

さりげなく、うちの子たちはホンモノのＪＫですよアピールをかましてくる声を遮って尋ねる。

「お店に出るとしたら何時頃ですか」

『午後からです。エリちゃんは一番人気だから、予約を入れていただいたほうが確実ですけど』

「じゃあ、そうしようかな。ヒラマといいます」

『ヒラマさん。時間は二時と四時が空いていますけど』

「二時でお願いします。エリちゃんのこと、友達に紹介されたんだけど、お店の場所って渋谷の道玄坂でいいんだよね」

おそらく《ヴィーナス》も《M2》の近くにあるだろうと踏んでカマをかけてみたのだが。

『円山町《まるやまちょう》です。住所言いましょうか。ネットにも情報上げていないし、看板も出してないんで』

男が告げた《M2》とかなり近い住所をメモって通話終了。

果たして、その「《ヴィーナス》指名人気ナンバー1のエリちゃん」は、あの相沢エリなのか。

そうであればようやく話し合いのテーブルに着くことができるという思いと、できればそうであって欲しくないという願いが、胸の中で交錯《こうさく》する。

いずれにせよ、今夜は熟睡できそうになかった。


翌日は俺の晴れない気分とは裏腹の晴天で、スマホの位置アプリとにらめっこで住所の場所を探し当てた頃には、薄手のダウンジャケットの背中がうっすら汗ばんでいた。

(ここか)

比較的新しい五階建てのマンションを見上げ、思わず唸る。

警察の手入れを恐れてのカムフラージュなんだろうけど、看板が出ていないどころかこんな普通の住居用マンションの一室じゃ、まずもって飛び込みの客は望めない。要するに口コミの客しか相手にしてないということで、それだけ厳選された「商品」に自信があるということ。

おそらく親会社の《M2》が街でスカウトしてきた少女たちの中から、適性のありそうな子を

《ヴィーナス》に横流ししているんだろう。モデルやるよりいいお小遣いになるよ、なんて甘い言葉でくすぐって。もちろん彼女たちで稼いだ金は親会社にバックされる。効率のいい連携プレーってわけだ。

一階のインターフォンで、「二時に予約したヒラマです」と告げてオートロックドアを解除してもらい、階段を使って二〇一号室へ。表札もない玄関のチャイムを押すと、数秒でドアが開き、こんがり褐色に日焼けした背の高い男が顔を覗かせた。

目が合った瞬間、男はなぜか少し驚いたような表情《かお》をしたが、すぐに如才《じょさい》のない営業スマイルに戻り、「どうぞお入りください。土足で大丈夫です」と招く。ソフトな物言いはそこそこ板についているけれど、肌に染みついたチンピラ臭を完全に払拭するまでには至っていない。

いつもより速い鼓動を隠してできるだけ平静を装い、フローリングに足を上げた。内装の雰囲気はよくある住宅用マンションのそれだった。廊下の突き当たりが木製の内扉になっていて、間取り的にはその奥がリビングか？

「こちらです」

まずは入ってすぐの、六畳程の部屋に案内された。いかにも事務所然とした殺風景な部屋だ。ただ一つだけ違和感を感じたのは、リビングとおぼしき部屋に面した壁が、厚手のカーテンで覆われていること。

「昨日お電話くださった方ですよね？　エリちゃんご指名の……ヒラマさん？」

太い金の鎖を褐色の首にぶら下げた日焼け男が、俺を値踏みするようにじろじろ眺めてから確かめた。昨日の電話に出たのはこの男だったらしい。

「そうです。彼女、来てますか」

「大丈夫。ちゃんと来てますよ」

うなずいた男が壁際に歩み寄り、カーテンに手をかけてしゃっと引いた。

「……っ」

カーテンの中から現れた巨大な窓と、ガラス越しの眺望に圧倒される。リビングでくつろぐ数人の少女たちの姿は、水族館の魚さながらだ。

「向こうからは見えないようになっています」

（マジックミラー？）

男の説明を裏付けるように、ソファで雑誌を読んだり、ラグに寝転がってスマホを弄《いじ》ったり、数人でおしゃべりに興じたりと、各自が思い思いに好きなことをしながら、少女たちは他者の視線など意に介さず、一様にリラックスしているように見える。水槽のような部屋をぐるりと一巡し、片隅で一人静かに文庫本を読んでいる相沢エリを見つけた俺は、つい小さな声をあげてしまった。

「そうです。彼女がエリちゃんですよ。こう言っちゃなんですが他の子とはレベルが違いますからね。どうします？　いまならチェンジ可能ですが、エリちゃんでいいですか」

言葉にするのももどかしく首を縦に振ると、褐色の顔に営業スマイルを浮かべた男が、「それじゃあ、ウチのルールをご説明しますね」と言った。

いわく、女の子を外に連れ出すことは可能だが、基本的に場所は指定のカフェのみ。時間は一時間。延長したい、場所を変えたいなどの要望がある場合は、都度《ヴィーナス》に連絡を入れる。その場合、女の子の同意が必要。

半分上の空で説明を聞いていた俺に、最後、男は念押しの一言をくれた。

「ウチは健全なデートクラブなんで、女の子がいやがるようなマネは一切なさらないようにお願いします。ま、お客さんならそんなことないでしょうけど、念のため」

規定の料金を支払い、男が内線電話を手に取った。内線を受けたギャル風の少女が、エリに近寄り、耳打ちする。文庫本を閉じたエリが、ダッフルコートを手に取って、ゆっくり木のドアに向かった。

先回りして廊下で待っていた俺は、リビングのドアから出てきたエリの目が、俺を認めてじわじわと見開かれていくのを、悲しいような切ないような、複雑な気分で見つめた。

「エリちゃん、どうかした？　知り合い？」

男の怪訝《けげん》そうな問いかけに、俺と視線を合わせたまま、エリはゆるゆると頭を振る。

「大丈夫？　キャンセルしようか？」

今度ははっきり首を振った。

「行きます」

本当に大丈夫？　としつこく確認する男を「大丈夫です」と笑顔で封じ込めたエリが、「行きましょう」と俺を促す。先に玄関まで行ってドアを開けたエリに続いた。

《ヴィーナス》を出て、階段を降りる寸前に背後を振り返ると、不信感をあらわにした日焼け男が玄関前で仁王立ちしていた。

マンションを出たエリは、迷いのない足取りで俺の前を歩き、三分程で辿り着いたカフェのガラスのドアを押し開けた。入る前に店名を確認する。『カフェ・ループル』。ここが、〝指定のカフェ〟なんだろうか。とりたててこれといった特徴のない店構えだ。

白を基調とした内装も普通。カウンターが六席と二人がけのテーブル席が四つに四人がけのテーブル席が二つ。店内に先客の姿はなかったが、エリが迷わず一番奥の四人がけ席に向かい、そこが定席のように腰を下ろしたので、俺も正面の席の椅子を引いた。

「なんにします?」

後ろからの声に振り向くと、いつの間にか四十がらみの口髭の男性が立っている。白いシャツに黒のベスト、黒のスラックスという、いかにもカフェのマスターといった出《い》で立ちだ。

「私は……いつもの」

いつもの、か。一体エリはここに何度、男たちと足を運んだのだろう。

「俺はブレンドで」

オーダーを取ったマスターが立ち去り、俺は俯《うつむ》き加減のエリをしばらく見つめた。

三日前にはまるで別人のような変貌を見せていたエリだが、今日はあのときほどのインパクトはない。髪は明るいままだし、薄化粧もしていたけれど、首から下は生成りのローゲージニットに黒のスキニーなデニムといった、カジュアルなコーデに身を包んでいる。コートも撮影のときに着ていたキャメルのダッフルだ。

「驚いたよね。突然俺が現れて」

正面の顔がこくんとうなずく。しばらく沈黙してから、エリの唇が小さく動いた。

「どうやって……」

ここを見つけたの？　彼女の言葉尻を汲《く》み取って、「それについては時間があるときに詳しく話すよ。もう十分経っちゃったし」と答える。

「それより」

身を乗り出したところで邪魔が入った。トレイを手にしたマスターが、エリの前にミルクティ、俺の前にブレンドを置いて、「ごゆっくり」と一礼して立ち去る。気を取り直して、言葉を継いだ。

「三日前、渋谷で偶然エリちゃんを見かけたんだ。その……けっこう年配の男性と歩いていた」

「…………」

「そのときに、きみが『Lovely』の撮影のあとから学校を休み出したのを知って、放っておけない気持ちになった。倒れたあとのすごく辛そうだった様子が頭から離れなくて」

「…………」

「お節介だってことは自覚している。別に肉親でも友人でもないのに……。これでもここに来るまでずいぶん悩んだんだ。だから、もしきみが俺の話なんか聞きたくないと思うなら、いますぐ席を立ってくれて構わない。そしたら俺も二度とここに来たりしないから」

エリは俺のお節介を否定しなかったけれど、立ち上がろうともしなかった。内心ほっとして、一番訊きたかった質問を口にする。

「訊いてもいいかな。この前の撮影のときに倒れた……あれ、気にしてる？」

エリが首を横に振った。

「あのとき、倒れたきみの側《そば》に付き添っていたのになにも言えなかったから、ずっと気にかかっていたんだ。ひょっとしたら必要以上に責任を感じちゃったのかなって。もしあれがきっかけなら放っておけないし」

言葉を切ってしばらく待ってみたが、反応がない。俯いて黙り込み、ミルクティにも手をつけない。

根気よく説得を重ねて、真意を引き出すには時間が足りなかった。気乗りはしないけれど、ここは別のアプローチで攻めるしかないようだ。

「あの日焼けの彼が《ヴィーナス》を仕切っているの？」

「加賀《かが》さん？　そうです」

エリは、俺が誰の話をしているのか、すぐに察してくれた。

「加賀さんていうのか。彼、やさしい？」

「はい、やさしいです」

「やさしくても結局は彼、エリちゃんを店の商品としてしか見てないんだよ」

エリの肩がぴくっと揺れる。顔を上げたエリと目が合った。桜色の唇が開き、やがて抑揚のない声が零れ落ちる。

「そんなの平間さんたちだって同じ。私のこと、服を着てポーズを取る人形としか思ってないですよね。モデルなんて所詮、時間いくらで売り買いされる商品じゃないですか」

言下に否定しなければいけなかったのに、できなかった。まっすぐ俺を見つめてきた彼女の瞳は、口先だけのフォローなら断固拒否するという厳しさを湛えていて……。

エリが倒れたとき、もちろん彼女の体調は気がかりだったけれど、それより俺の頭の大半を占めていたのは、このアクシデントが撮影に及ぼすデメリットとその対応策だったから――。

「そんなふうに思っていたらここには来ないよ」

精一杯の言葉には、しかしエリのかたくなな心を解すまでの力はなかった。

でも本当なんだ。そんなふうに思っていたなら、竜平も鏡子さんもあんなに心配したりしない。

「《ヴィーナス》に来る人たちは、私と会って話がしたいからって、ただそれだけで通ってきてくれるんです」

「けどきみは、モデルの仕事のために矯正までして」

「あれは母にそうさせられたんです。いつだって母は私を思いどおりにしてきた。学校より友達より仕事を優先させて、今回のドラマだって勝手に決めてきて……。でも、娘を女優にしたいのは母の夢で、私の夢じゃない」

エリの心を開かせるどころか、会話を重ねるごとに追い詰めている——そんな自分に心底うんざりした。すでに俺は自己嫌悪に首まで浸っていた。だけどここでリタイアすれば、中途半端に干渉して投げ出すという、それこそ最低最悪な関わり方になってしまう。

だから、自分でも虫酸が走る台詞を口にした。俺自身は軽蔑されても、彼女をここから引き離すことさえできれば、あとは水沼や竜平たちにフォローを委ねられる。そう思ったから。

「通ってくる男たちにだって下心があるんだよ。俺だって一応男だからわかる。きみをデートに誘い出してあわよくばって、男なら誰でも考える」

予想どおり、エリの眉がひそめられた。

「《ヴィーナス》はそんなことありません。外で会ってもお食事するだけだし」

「きみは特別なんだよ。でもほかの子はそうじゃないかもしれない。もっときわどいサービスをさせられているかもしれない。もし彼女たちがエリちゃんに憧《あこが》れて《ヴィーナス》にいるとしたら？　きみみたいな子がいるんだから安心だって思っているのだとしたら？」

「そんなこと……」

「あるかもしれない。きみは客にとっても女の子たちにとっても、客寄せパンダなのかもしれないんだ」

「そんなことありません！」

叫ぶような否定の声とピリリリッという呼び出し音が重なった。膝の上のダッフルコートのポケットから取り出したスマートフォンを、エリが耳に当てる。

「はい、はい……わかりました。すぐに戻ります」

え？　もう？　まだ一時間経ってない。

「ごめんなさい。私を訪ねてきた人がいるみたいで」

「待って。まだ話が……」

立ち上がりかけたエリを引き留めようとして腰を浮かし、いきなり後ろから肩を摑まれた。ばっと振り返ると、至近距離にマスターの怖い顔。

「お客さん、彼女、いやがってるじゃないですか」

ドスの利いた声で凄まれ、こっちも熱くなっていたからつい腕を振り払って叫んだ。

「あんたには関係ないでしょう！」

すると今度は二の腕を摑まれ、ものすごい力で捻り上げられる。

「いってーっ」

激痛に悲鳴が飛び出た。

「痛いっ……痛いっ」

そのまま出口まで引っ立てられ、ガラスのドアを開けたマスターに、乱暴に突き飛ばされる。アスファルトに転がった俺の足許に、ダウンジャケットとバックパックが投げ捨てられた。

「二度と顔出すんじゃねえぞ！」

捨て台詞と同時にドアが閉まる。ガチャッと鍵がかかる音。あわてて立ち上がり、ガラスのドアにしがみつく。

「エリちゃん！　エリちゃん!!」

恥も外聞もかなぐり捨てて名前を呼んだが、マスターの陰に隠れてしまったエリが俺の声に反応することは、最後までなかった。

4

史上最悪の気分で、自宅への道を辿った。

ボディガード（おそらく）兼マスターに捻り上げられた腕のつけ根はズキズキ痛むし、投げ出されたときにアスファルトで擦った肘もジンジン痺れている。けれど肉体的な痛みよりも、胸の痛みのほうが強い。

結局のところ俺の行動は、やつらの警戒心を煽《あお》っただけで……。

《ヴィーナス》にはこれで出禁。それどころか、ガードを強化されたら、エリに近づくことすら困難になる。

（あー……なにやってんだよ……ったく）

重い嘆息を零《こぼ》した直後、エリの声が耳に還ってきた。

——モデルなんて所詮《しょせん》、時間いくらで売り買いされる商品じゃないですか。

（そんなこと……ないよ）

たしかに現場では時間が優先されて、気持ちがあと回しになることもある。

プロ意識の前に、個々の感情は抑え込まれがちだ。

でも、きみがきれいなだけの着せ替え人形なんかじゃないこと、感情も主張もある——悩んだり苦しんだりする人間だということ、みんなちゃんとわかっているよ。だからこそクールな鏡子さんがポリシーを曲げてまで、きみを救い出そうとしているんだ。

（……って、なんでさっき言えないかな）

がっくり肩を落とし、とぼとぼと渋谷《しぶや》の喧噪《けんそう》を通過して、神宮前のマンションまで戻る。部屋の鍵を開けてドアを開いた瞬間、淀んでいた頭が一発で冴えた。

（はあ!?）

三和土《たたき》の中央にドーンとふんぞり返るバイク用のライディングブーツ。明らかに自分の持ち物じゃないブーツに向かってひとりごちる。

「誰だよ？　ひとんちに勝手に上がり込んでるやつ」

順当に考えればスペアキーを持っている響以外にありえない。たしかにあいつは高校時代、校則違反のバイクに乗っていた。

だけど、再会してからバイクの話なんて聞いたことがないし、忙しいあいつが平日の昼日中にここにいるはずがない。

（じゃあ誰だ？）

やっぱり鍵を換えておくべきだったと後悔しつつ、忍び足で廊下を進み、半開きの内扉からリビングを覗《のぞ》き込んだ。姿は見えないが、カチャカチャとキーボードを叩く音が聞こえてくる。

ＰＣを弄《いじ》ってる？

ドアの隙間をくぐり抜け、壁伝いに音が聞こえるスペースまでにじり寄った。

俺の仕事机に向かい、咥《くわ》え煙草でキーボードを叩く男の横顔が目に入る。

「ひ……びき？」

裏返った声で呼びかけると、男がこっちを見た。

「ようやくご帰還か。待ちくたびれたぞ」

吸い差しを携帯灰皿に放り込んで立ち上がる。近づいてきた長身を、俺はぽかんと口を開けて眺めた。

「どうした？　アホづらして」

怪訝《けげん》そうな問いかけに口をぱくぱく開閉して、やっと声が出る。

「だ、だっておまえ……」

目の前の男が身につけているのは、ぴったりと上半身にフィットした長袖カットソーとレザーパンツ。色は共に黒。

カットソーがストレッチ素材のせいか、逆三角形の体のラインがはっきりとわかる。なだらかに盛り上がった肩。逞《たくま》しい上腕。充実した胸筋。引き締まった脇腹。腹筋がきれいに割れているのも見て取れた。

レザーパンツに包まれた脚も、ただ長いだけじゃなく、つくべき所にしっかり筋肉がついているのがわかる。自主的にジムでワークアウトしているのか、はたまた刑事の激務によっておのずと鍛えられたのか。

いずれにせよ、いつもの疲れたスーツ姿とはまるで別人。

かつては、寮生活で裸だって日常的に見ていたし、あの頃すでに体格では一人抜きん出ていたけど。

(でも――昔と違う)

全体のバランスがより完成度を増したというか。

雄の色気が滲み出ているような、成熟した肉体にぼんやり見惚れてしまい、はっと我に返ってあわてて目を逸《そ》らした。それでもまだ、不規則な鼓動は鎮《しず》まらない。

(なんか……私服だと昔の響に戻ったみたいで)

「め、めずらしいじゃん。スーツじゃないなんて」

俺の指摘に、響が肩をすくめた。

「これまでおまえとは仕事帰りに会っていたからな。今日はバイクだからこんな格好だ」

内心の狼狽《ろうばい》を隠そうと、憎まれ口を叩く。

「再会後、初めておまえとタメなんだって実感した。スーツだとただの疲れたリーマンだもんな」

「俺から言わせれば、おまえのほうが無気味だぜ。二十代も折り返して、いまだにつるんとした顔しやがって」

「うるせーな。どーせろくに髭《ひげ》も生えねーよ」

「毎朝楽でけっこうなことじゃねえか」

案外本気の悩みをいい加減に笑い飛ばし、響は新しい煙草に火を点《つ》けた。

むっとはしたものの、ようやく心臓が落ち着きそうな気配を感じて、胸の中で安堵《あんど》する。

「バイクって、まだ乗ってたんだ？」

「たまにな。めったに走らせてやれないから普段はバイク屋に預けている。今日はひさしぶりにおまえを乗せようと思ってピックアップして来たが、まさか二時間も待たされるとはな」

「二時間もって、そっちが勝手に待ったんだろ」

俺の言い分に響が憮然《ぶぜん》と反論する。

「一昨日約束しただろうが」

「一昨日？　約束？」

もしかして、デートがどうのこうの言ってた……あれ？

「おまえ、あれを約束と言うか？　なんでもかんでも一方的すぎなんだよ。勝手に決めて、こっちの返事も聞かないで帰るし。俺にだっていろいろ都合ってもんが……」

文句を言いながらダウンジャケットを脱ぎ始め、片腕を抜いたところで不意に腕を摑まれた。

「この血、どうした？」

響の視線を追って左肘を見る。白いカットソーに血が滲《にじ》んでいた。マスターに突き飛ばされたときにアスファルトで擦った傷だ。

「ちょっと……転んで」

とっさに嘘をつく。嘘がいけないのはわかっているけど、あんなことやそんなことがこいつにバレるほうが怖かった。

「転んだ？　道でか？」

探るような視線を顔に据えられる。

「そ。明治通《めいじどお》りでコケちゃってさ。足腰弱ってんのかな。やっぱ座り仕事だから」

さりげなく目を逸らしつつ、ダウンを完全に脱ごうとして、どうやら肩を捻ってしまったらしい。右肩に走った激痛に、「いたっ！」と声を発した。

反射的に庇《かば》った肩から手のひらを離され、響の手が確かめるように、肩口を撫でる。次に二の腕を摑まれて、ゆっくりと上げ下げさせられた。鈍い痛みに顔をしかめる。

「誰にやられた？」

様子見のあと、低い声が尋《たず》ねてきた。

「誰って、だから転んで……」

しらばっくれようとした声が途切れる。響の顔があまりに険しかったからだ。

「正直に吐け。こいつは転んで捻ったって痛め方じゃないぞ」

眼光鋭く凄まれ、思わず取り調べ室の容疑者の心境にシンクロしてしまった。

別に痛いのは俺でおまえじゃないんだから、そんなに殺気立つことないだろ。

とか軽くいなしたかったけど、目がマジだ。ガチで怒ってる……。

プロの「自白しろ」プレッシャーに耐えるのは、やはり一分が限界だった。

「わかったよ。話す。話すってば」

俺がギブすると、響はやっと視線を外し、大股で壁際のキャビネットに歩み寄った。しばらくガタガタと抽斗《ひきだし》の中を探っていたが、目当てのものを見つけたのか、引き返してくる。その手が携えているのは、ファーストエイドキットのボックスだ。

俺をソファに座らせて、自分はラグに膝立ちになる。

「脱げ」

命令口調に抗《あらが》えず、黙ってカットソーを頭から脱いだ。その間にファーストエイドキットの中から消毒液を取り出した響が、まず擦り剝《む》いた左肘を消毒し、止血して、湿潤療法対応の絆創膏《ばんそうこう》を貼る。次に右肩の痛めた患部に湿布を貼った。肩と腰用に買ってあったのだが、消炎鎮痛効果の高いテープ剤が役に立ちそうだ。

手当てが終わり、カットソーを着込んだ俺の横に、響がどっかりと腰を下ろす。長い脚を組み、腕組みをして俺を促した。

「――で？」

覚悟を決め、昨日から今日にかけての試行錯誤の顚末《てんまつ》を、思い出せる限り、こと細かに説明する。

ひととおりの事情説明が終了し、当然のごとく罵詈雑言《ばりぞうごん》の嵐が吹き荒れると思いきや、意外にも敵は無言だった。その顔も、仮面を貼りつけたような無表情。

「いつもみたいに怒鳴んないのかよ？」

拍子抜けしてやや不満げに問うと、はーっと深い嘆息を零した。腕組みを解き、前髪を雑に掻き上げる。

「怒鳴る気力すら削ぐ破壊力。いっそ感心するぜ……おまえの無駄な行動力には」

ため息混じりにつぶやき、だがやがて、気を取り直したような顔つきで俺を見た。

「それで？　この先おまえはどう出るつもりだ」

「どう出るって言われてもすぐには思いつかないけど。でも、このままってわけにはいかないだろ？　いまもエリはあそこにいるわけだし。それにエリ以外の子たちだって……」

「待て」

右手で遮られる。

「まさかとは思うが、そのエリって小娘だけじゃ飽き足らず、その他大勢までどうにかしたいとか言い出すつもりじゃないだろうな」

ドスの利いた低音に怯みかけたが、なんとか言い返した。

「でも俺はこの目で見たんだ。あの子たち……ガラス越しに品定めされて、あれじゃ本当に人身売買だ」

顎《あご》をざらりと撫で上げた響が、ソファから立ち上がる。掃き出し窓に近づいて外を見た。

「しかし、誰が強要したわけでもない。あいつらは自分から望んでその店に通っているんだ。ブランドの服やバッグ、スマホ、クラブ帰りのタクシー代、遊ぶ金欲しさにな。割りのいいバイトをこなすライト感覚で、おまえが思っているような罪悪感もなければ、傷ついたりもしない。金になるのは制服を着ている間だけだってこともわかっている。だからこそいま稼がなきゃ損ってわけだ」

それは——その手の話は、俺だって週刊誌の記事やテレビの特集、ネットのトピックスで見聞きしていた。だけど頭で理解するのと、実際この目で見るのは全然違う。

「彼女たちが傷つかないなんて、そんなの嘘だよ。百歩譲《ゆず》っていまはそう思い込んでいるとしても、いつかきっと後悔する」

「俺たちは経験則から、先を思って諭《さと》す。だが『いま』が大事なやつらにしてみれば、うざくてたるい説教でしかないんだよ」

達観したような口調とは裏腹に、その声からは、隠し切れない苦さが滲《にじ》み出ている。

俺は響の頑強そうな背中を見つめた。

説得にかけた時間と労力が無に帰すにつれ、澱《おり》のように降り積もっていくのだろう無力感。

今回も徒労だったと知るたびに、胸の中を侵食していくのだろう諦念《ていねん》。

そんなやりきれない思いの積み重ねが、こいつに、らしくもない弱音を吐かせているのだとしたら——おまえの気持ちもわかるなんていう言葉は、神経を逆撫でするだけなんだろうけど。

「……エリもそうなのかな」

俺の問いかけに、響の背中は依然冷ややかだった。

「お姫様は特別扱いなんだろ？　モデル時代と同じくらい周囲にちやほやされてな」

「特別扱いならいいってもんじゃないだろ」

「店側も馬鹿じゃない。上玉が逃げ出すような無理強いはしないさ。おまえの一件でガードを強化して、これまで以上にやばい客は寄せつけないだろうしな。そのうち反抗期が終われば、ほっといても帰ってくる」

「でも、帰ってきたときにはもう遅いかもしれない。せっかく決まったドラマもCMも、別の子にキャスティングされちゃうだろうし」

「好き勝手やりたいなら、それに伴う結果も引き受けてこその自由だろうが。第一そこまで心配してやる義理がどこにある？　やるだけのことはやったんだ。おまえはもうこの件から手を引け」

「手を引けって……そんな簡単に言うなよ！　エリはまだ十六で高校生なんだぞ!?」

カッとなって立ち上がり、窓際の男に詰め寄る。だが響は間近の俺を、冷めた眼差《まなざ》しで見下ろしてきた。

「十六でも自分の稼ぎで生計立ててりゃ立派な大人だ。少なくともおまえよりはな」

かちんときた。言葉そのものより、俺を見下した尊大な態度に。

「どういう意味だよ？」

「おまえはそのエリって小娘よりガキだって言ってるんだ。自分じゃ手に負えないもんにまで見境なく首突っ込みやがって。感情と思い込みだけで動くのはガキの典型的な行動形式なんだよ。突っ走るだけ突っ走っといて、収拾つかないとみるや一転して大人に尻拭いをねだる。おまえはセンター街あたりでうだうだたむろってるガキと一緒だ」

「……………っ」

そこが弱いと薄々気がついていたウィークポイントを抉《えぐ》られ、自尊心が悲鳴をあげた。痛みを拡散させまいとして、本能が感情を昂《たかぶ》らせる。

「俺がいつ泣きついた!? さっきだっておまえが無理矢理訊き出したんじゃないか!」

「俺が訊き出してブレーキかけないと、おまえは地獄まで突っ走るだろうが」

「俺が地獄まで突っ走ろうがおまえには関係ないだろ!? それこそほっとけよ!」

売り言葉に買い言葉で怒鳴り返したとたん、響の形相《ぎょうそう》が変わった。眉間にぴきっと縦筋が走り、地を這う低音が空気を震わせる。

「……関係ないだあ?」

だが俺だって頭に血が上っていた。

「刑事のおまえが見て見ぬフリするってんなら、俺がやるしかないだろ」

「おまえになにができる」

「なにもできなくても、そうやって難癖《なんくせ》つけて動こうとしないよりは百倍マシだと思うね。いいからもう帰れよ。厄介事には首突っ込みたくないいんだろ! だったら帰……」

バンッ!!

出し抜けに大きな音が響き、俺は続く言葉を呑み込んだ。響が平手で叩いた窓ガラスがビリビリ震えている。天井まで伝わった振動に、照明のシェードまで揺れていた。

俺を睨みつける男の目は剣呑《けんのん》な光を放ち、腕と胸の筋肉はポンプアップさながらに張り詰めている。

(……やる気か)

俺はごくっと喉を鳴らした。

過去に殴り合いの経験がないわけじゃない。もっとも八年以上前の話で、それもたぶんやつのほうに相当の手加減があったはずだ。圧倒的不利ではあるが、隙を見て急所を蹴り上げればもしかしたら……。

頭でそんな算段をしながら果敢《かかん》に睨み返していると、響の張り詰めていた筋肉がふっと緩み、尖った喉から獣じみた唸り声が漏れる。

「うぉぉおおぉぉ」

天を仰いで頭を掻きむしり、身構える俺の横を素通りして四、五歩歩いた——かと思うとくるりと反転。すごい形相で俺に向かって突進してきた。

(キタ——！)

思わずファイティングポーズを取った腕をむんずと摑まれる。やばいと思った瞬間にはぐっと引き寄せられ、怖い顔のアップが！

「なんだっておまえってやつはそう……」

(——そう？)

訊き返そうと開きかけた唇に熱い吐息が触れる。

(え？　え？)

ゆっくりと覆い被さってくる八年ぶりの感触に、俺は目を見開いた。

(なに？　なに、これ……)

呆然《ぼうぜん》とフリーズしている間に、ちゅくっと音を立てて唇が離れ、角度を変えてもう一度重なってくる。今度は触れるだけでは終わらず、唇の隙間を舌でこじ開けられた。

「んっ……ンんんッ……」

なんとか拒もうと唇を引き結ぶ。だが攻防を繰り返しているうちに酸素が足りなくなり、だんだん頭がぼーっとしてきて……いつしか抵抗する気力もダウン、なし崩しに唇を割られてしまった。侵入してきた舌から逃げ回ったが、執拗《しつよう》に追い回され、結局は搦《から》め捕《と》られ……。

「……ふっ……ん」

分厚い舌が、口腔内をねっとりと掻き回す。意外なほど器用に歯列をなぞり、舌の裏筋を舐め上げる。

散々口の中を嬲って出ていった舌が、右耳に移動し、耳朶《じだ》に歯を立てた。びりっと甘い電流が全身を貫き、「あっ」と声が漏れる。その声が、まるで女みたいな高い声で、カッと羞恥が込み上げた。

(まずい……このままじゃ……まずい)

頭の中でアラームが鳴っている。逃げなきゃ。こいつから逃げなきゃ！

懸命に体を捩《よじ》り、胸に手を突いて突っ張った。だがすぐに後頭部を鷲摑《わしづか》みにされる。引き寄せられ、ふたたび強引に唇をこじ開けられた。頭を固定されてぴくりともできないままに、口蓋《こうがい》をいいように陵辱《りょうじょく》される。

夢で見たキスと全然違う。

九年前のおまえは、こんなふうにじっくり責め立てたりしなかった……。

「……っふ……ん」

舌をとろとろに蕩《とろ》かされ、鼻から甘い吐息が漏れる。ぴったりと押しつけられた下腹部の硬さに、閉じた瞼の下の眼球が熱く潤む。口の中を犯すのと同時進行で、シャツの裾から忍び込んできた熱い手が、脇腹のラインを確かめるみたいに撫で擦った。さらに背中に回ってきた手に、腰の周辺を撫で回されると、背筋をゾクゾクとした震えが這い上がる。尻をきつく鷲掴みにされ、覚えず密着した体に縋《すが》りついた。

「はあ……はあ……」

舌と手のひらで甘く獰猛《どうもう》に追い上げられて……気がつくと俺は、響の背中にしがみつくように両腕を回し、荒い息に咽《む》せていた。

(脚が……ガクガクして……立っていられない)

「……聞き分けがないんだ？」

名残惜しげに唇を離した響が、中断していた台詞《せりふ》の続きを囁く。

(そう言うおまえは、なんでキスなんかするんだよ？)

言い返して詰《なじ》ってやりたかったけど、息が上がって声にならない。おまけに俺はまだ、響の硬い体に身を預けたままだ。だって……脚が……震えて。

「来い」

耳許で低音が命じるのと同時に、腕をぐいっと引かれた。いまだに頭の芯がぼんやり痺れた状態の俺を引き摺るようにして、響がリビングから出る。廊下に出てすぐ右手のドアのノブに手を

かけた。

（え？　そこ寝室だけど）

まだ一度も、やつの侵入を許したことのない部屋のドアが、ばんっと乱暴に開かれるに至り、まともな判断力がかろうじて復活。響の思惑を覚った俺は、むちゃくちゃに暴れた。

「そこでなにするつもりだよ？　離せっ……手を離せって！」

必死の抵抗をものともせず、断りもなく他人の寝室に足を踏み入れた男が、入り口で尻込みする俺を中に引き入れようとする。

「待てって！　お、俺たちさっきまで喧嘩してたんじゃないのか？　それがなんで急にサカッてんだ……おい！　聞いてんのかよ!?」

俺のわめき声をまるっと無視して、不気味な無表情が低音を放った。

「いいから来い」

「なにが!?　なにがいいんだよ！　一つもよくねーよ!!」

キンコーン。

俺の絶叫とドアチャイムが重なった。とっさに響の手を振り払おうとしたが、腰に腕を回されてしまう。

ぐいっと引き寄せられ、強引に唇を重ねられた。

「んんっ」

荒々しく唇を割られて、ねぶるみたいに舌を吸われる。くちゅっ、ぬちゅっと舌が絡まり合う濡れた音が、鼓膜に響いて首筋が粟立《あわだ》った。

この先の行為の濃厚さを教えるような——まるで前戯みたいなキス。

(だめだ……こんなの……だめだ……って)

キンコーン。

遠くなりかけていた意識をドアチャイムの音が引き戻す。残っていた理性を掻き集めた俺は、腕を突っ張り、どうにかこうにか響から上体を引き剝《は》がした。

荒い息に紛れて訴える。

「だっ……誰か来た！」

「ほっとけ。どうせ押し売りだ」

不機嫌な声で一蹴され、またしてもぐいっと引き寄せられた。だけど押し売りの類いでないことは、間髪《かんはつ》容《い》れずに鳴り続けるドアチャイムが主張している。

キンコーン。キンコーン。キンコーン。

「で、でもほら……なんか切羽《せっぱ》詰まってるし……あっ……」

首筋に唇が吸いつく。太股の内側を手のひらでさすられて膝が砕けそうになり、再度男の背中に縋りついた。不埒《ふらち》な手は、なおのこときわどい部分を責めてくる。

「やっ……や……だ……や……めろ……やめて……っ」

もはや抗いというよりは懇願に近かった。その間にも、痺れを切らしたらしい訪問者が、玄関のドアをドンドンと叩き始める。ついには耳に覚えのある声がドア越しに聞こえてきた。

「シンゴくーん、いないのォ!?　いるなら開けてよォ！　アタシ！　柴田！」

「柴田!?」

思いがけないカンフル注入で、息絶え絶えだった理性が持ち直す。俺は一瞬の隙を突き、響の腕から逃げ出した。玄関に向かって駆け出す俺の後ろで、聞こえよがしな舌打ちがちっと鳴る。

「いま開けるから待って！」

玄関に着いて解錠したとたん、待ってましたとばかりにドアが開いた。半開きのドアの隙間から、柴田ユカリの紅潮した顔が覗く。

「いてくれてよかったァ！　あちこち連絡してやっとシンゴくんの住所わかって！」

「こっちこそ……助かった」

思わず本音を零してから、「なんだかよくわからないけど、とにかく上がりなよ」と促した。すると柴田が突然「アッ！」と声を上げる。

「忘れてたァ！」

叫んでドアを全開した柴田の斜め後ろに、青い顔の水沼が所在なさげに立ち尽くしていた。


「一体どういう流れ？」

柴田と水沼をリビングのソファに座らせた俺は、一人壁際に佇んで憮然と腕を組む響はひとまず放置して、二人の前に立った。

「えっとォ」

横の水沼をちらっと横目で見てから、柴田が切り出す。

「このひとかなりブルー入ってるみたいなんでアタシが話すね。ホントはここに来んのもめっちゃいやがってて。でもやっぱ、二人より三人のほうが心強いじゃん。だから……」

言いながら、上目遣いに俺を窺《うかが》ってくる。先を促すように首を縦に振ると、あからさまにほっと表情を緩め、ようやくいつものペースで話し始めた。

「んーとね、今朝このひとから電話がかかってきてエリのこと訊かれたの。シンゴくんに口止めされたのは覚えてたけど、あのコ二週間ほとんど家に帰ってないって言うし、あんまりしつこく聞くから例の事務所の話をしたんだ。そしたらさァ」

柴田の話を要約すれば以下のとおり。

俺と同じだけの情報を柴田から得た水沼は、業界のコネクションを駆使して《M2》の所在地を突きとめ、俺と同じ経路を辿って《ヴィーナス》へ出向いた。しかしタイミング悪く、《ヴィーナス》に着いたのが俺の三十分後（あのときエリを訪ねてきたという人物は水沼だったのだ）だった。直後に、カフェで俺とマスターとの間に一悶着《ひともんちゃく》が起こり、ただでさえピリピリしていた加賀たちは、「エリを返して欲しい」と訴える男を——。

「二、三人、いかにもって感じの男たちがこのひとのこと外まで引き摺り出してきて、殴るわ蹴るわのフルボッコ。アタシィ？　もちろん車の中に隠れてたわよォ」

身振り手振りを交えて語る柴田の顔は、興奮で上気している。対照的に青白い水沼の顔を見たが、目立った傷はない。どうやら暴力のプロは、外から見てわかるような場所を痛めつけたりしないものらしい。

（でもまあ、普通に歩けるレベルだから、医者に連れて行くほどじゃないだろう）

そう判断した。まずは話を聞いてしまおう。

「状況的にやばそうなことはわかってただろ？　なんで水沼さんについていった？」

少し咎《とが》めるような声を出すと、打てば響くはずの柴田からめずらしくリアクションがない。

俯《うつむ》いて、子供のように爪を噛んでいた柴田が、ふーっと大きくため息を吐いたのは三十秒後。

顔を上げた柴田の目には、いつもの勝ち気さが復活していた。

「アタシ、あのコのこと嫌いだった。だってアタシのレギュラーCM横取りしたんだよ？　しかも実力じゃなくて、あのコのママが広告代理店のプロデューサーに枕営業したからだし」

それまで無言で宙を見据えていた水沼が、初めて反応を見せる。眼鏡のレンズ越しに、傍《かたわ》らの柴田をもの言いたげな視線でじっと見つめた。

「誰がそんなことを言ったんだ？」

俺の問いかけに、柴田が小鼻を膨《ふく》らませる。

「誰ってゆーかァ有名だもん。あのコのママってば、男と見りゃ見境なくてさ。シンゴくんだって言い寄られてたじゃん？」

言い寄られたわけではないが、つい複雑な表情をしてしまったんだろう。柴田は「ほらね」と胸を反らした。

「それなのに、あのコだけなんにも知りませんって澄ました顔でイイコチャンぶってて、超むかつくってみんな陰でディスってた」

「……なるほど」

「でも、前回の『Lovely』の撮影で一気に爆発しちゃった。だって、シンゴくんにまでブリブリ取り入ってんだもん。シンゴくんはさァ、うちらモデル仲間で掟《おきて》作って、抜け駆けナシって決めてんのに」

（お、俺のせい？）

予想外のとばっちりに面食らい、後方からの射るような視線に冷や汗を掻く。

見ずとも目に浮かぶ——響の「ほら見たことか」という冷ややかな顔。

あのな、柴田。そう言うおまえが、名刺渡したりして、誰より抜け駆けしていると思うぞ。

「だからさ、現実ってもんを直視させてやろうと思って誘い出したの。前に別の撮影で同じスタジオだったとき、ママとこのひとが近くのラブホから出てくるのを見たことあって、今回もひょっとしたらって二人で張ってたら……ビンゴ」

肩をすくめた柴田の隣で、スキャンダルを暴露された水沼当人は反駁《はんばく》の声をあげる気力もないのか、ただ黙って項垂《うなだ》れている。

「あのコ、本気でショックだったみたい。ホントになんにも知らなかったみたいでさ。でもアタシ、まさかマジであのコがあそこの事務所に行っちゃうなんて思わなかったんだ。だって、あんなイマドキあり得ない真面目チャンがさァ、そんな勇気あるわけないって。だからあのコが学校フケてるってウワサ聞いたときは、へーなかなかやるじゃんって感心してて。——でも、シンゴくんがなんかやばいって感じで電話してきて……そのあとのマネージャーさんの声も、かなりマジでやばいって感じ……で」

最後のほうは、声が聞き取れないほどにか細かった。嗚咽《おえつ》を堪《こら》えて唇を噛み締め、小刻みに肩を震わせる柴田から、俺はそっと目を逸らす。

小さな嫉妬《しっと》とやっかみから生まれた出来心。ちょっとした意地悪のつもりだったそれは、しかしエリの心に取り返しのつかない爪痕を残した。

あの日スタジオで泣いていたエリは、涙の陰で復讐を誓ったのだろうか。

この世で一番信頼していた二人の裏切りを知って……。

「やっぱ気になるじゃん。だから……頼んだの。アタシも連れてって……て。でもこのひと、危ないからダメだって……でも無理矢理、た……のんで」

「学校も休んで？」

「な、んか……どーせ気分悪かった……し」

そこでついに柴田は大粒の涙をぽろぽろと零した。

「ごめっ……ごめ、なさ……い。……ごめ……っ」

しがみついてきた柴田の背中を軽く叩いていさめる。

「それは俺に言うことじゃないだろ？」

顔をくしゃくしゃにしながらも、柴田はこくりと素直に首を振った。

エリにしてみれば、悪気はなかったでは済まない話だろうけど。柴田は柴田なりにこの二日間思い悩み、自分を責めていたのに違いない。

だからといって、ここで俺が柴田を慰めてもなんの解決にもならない。

人を傷つけて無傷でいられる人間なんていない。与えた痛みと同じだけ、必ず自分に返ってくる。柴田の傷を癒せる薬を持つ相手がいるとすれば、それは相沢エリただ一人だけ。

俺たちにその力はないんだ。

「シンゴくん……訊いてもいぃ？」

ようやく少し落ち着いたらしい柴田が、スンスンと鼻をすすり上げて言った。

「あそこの……怖そうなお兄さん……誰？」

柴田の視線を辿って、黒ずくめの長身に不機嫌オーラを纏わりつかせた響に辿り着いた。怖い顔は、柴田と水沼が入ってきた時点からいっこうに和《やわ》らぐ気配はなく、いままた俺に抱きついている柴田をぎろりと睨んだ。まったく大人げない。

「あー、あいつは神蔵っていって俺の……トモダチっていうか腐れ縁っていうか」

「クサレエンってなに？」

「まあ、その……幼なじみたいなもん。今日は公休日で遊びに来てて——刑事なんだ。あれでも一応」

「えっ、刑事ィ？　マジで!?　アタシ本物初めて見たァ！」

柴田がテンション高い声を出した瞬間、それまで抜け殻《がら》のようだった水沼の様子が一変した。いきなり身を乗り出して、俺の腕を摑んだのだ。

「刑事って本当ですか!?」

「ほ、本当ですよ」

あまりの前のめりに引き気味に肯定する。すると水沼はものすごい勢いで立ち上がり、壁際に向かって突進した。響の前の床に膝をつき、その足許に平伏する。

「お願いです刑事さん！　エリを助けてやってください！　私じゃもう駄目だ……私の手の届かないところへエリは行ってしまった。お願いします。どうかエリを！」

フローリングに額を擦りつけて土下座を繰り返す男に、響が眉をひそめて低音を放つ。

「シンゴ。このおっさん、どうにかしろ」

俺はあわてて水沼に駆け寄った。

「水沼さん、こんなことをしても」

「そーよォ。だったら、はじめからエリのママなんかと寝なきゃよかったのにさァ」

自分のことはすっかり棚に上げて、柴田が口を尖らせる。

(あー、もう、ほんとにどいつもこいつも！)

脱力している水沼に肩を貸し、ソファまでUターンさせた。両手で顔を覆っていた水沼が、ややあって、指の隙間から呻《うめ》くような声を漏らす。

「エリは……私がこの業界に入って初めてスカウトした子なんです。まだ中学生だった通学途中のエリを見かけて……そのまま下校まで学校の門の前で待ちました。校門から出てきたあの子は制服の集団の中でも埋没することなく、一人だけ光り輝いていた。私の目にはエリがまるで愛と美の女神ヴィーナスのように映ったんです。夢中で駆け寄り、震える手で名刺を渡しました」

顔から手を離した水沼が、その手のひらをじっと見つめて独白を続ける。

「あの子の母親は私の話を聞くと、ほかの事務所からもスカウトの声がかかっていると言いました。私は必死に、決定権を持つ母親を説得した。この子だけは諦められないと思ったからです。するとと彼女は、どうしてもエリが欲しいのなら、母親である自分の面倒も全面的に見るのが交換条件だと言い出しました」

「全面的にっていうのは、その……」

俺の確認に、力のない首肯《しゅこう》が返った。

「つまりは……そういうことだった。だがそのときの私はエリが欲しい一心で、深く考えずに承諾してしまったんです」

「なんとかできなかったんですか。エリちゃんにばれたらまずいとか、関係解消の口実はあったでしょう」

「何度も話し合いました。けれど彼女の答えはその都度《つど》、『あたしと終わるって言うなら、エリを余所《よそ》の事務所に移籍させるわ』の一点張りだった」

「娘の心情よりてめえの肉欲優先か？　たいしたステージママだな」

壁際に立つ響から、吐き捨てるような低音が届き、俺と柴田も思わずうなずく。

「いや……ただ彼女も寂しい人なんです。エリの父親だった男性に逃げられたあと、女手一つで娘を育ててきた苦労人で」

根はお人好しらしい水沼のフォローを、響はふんと鼻先で切り捨てた。

「それだけお盛んなら体力気力共に充分だろうが。ステージママなんかしてないで働きゃいい。そうすりゃ金は入る、娘に干渉している暇はなくなる、溜まった性欲も労働で発散させられる。一石三鳥だ」

こいつが言うと妙な説得力があるな……なんて感心しつつ、俺も口を挟んだ。

「エリさん本人ときちんと話し合ったほうがいいですよ。すべてをありのままに打ち明けて」

「そんでもあのコがもうヤダって言うなら、それはそれでしょーがないじゃん。仕事続けるかどーかってのは、やっぱ最後はあのコの判断だもん」

大味ながらもなかなかまともな柴田の意見に、水沼はしかし首を横に振る。

「何度も話し合おうとしたんですが、取り合ってもらえなかった。電話もメールも着信拒否にされてしまって……。警察に相談しようかとも思いましたが、公《おおやけ》にすることで、エリの今後の仕事に影響が及ぶかもしれないと考えると踏ん切れず……」

「娘の反抗期を落ち着かせたいなら、母親とよく話し合うんだな。ステージママごっこも金の卵ありきだ。卵が割れちゃ元も子もない。そのあたりをきちんと噛んで含めるように言い聞かせれば、ママも弁《わきま》えるさ。家出娘の奪回はそれからでも遅くない」

なるほどそれも一理ある。エリより母親の説得が先か。

そっちがクリアにならないうちにエリと話し合っても、こじれるだけかもしれないな。

響の説に八割方傾きかけていると、水沼がどんより暗い声で「それでは遅いんです」と言った。

「明日の午前中にドラマの初顔合わせがあります。これまでは体調が優れないということでなんとか誤魔化《ごまか》してきたんですが、明日はスタッフが揃いますし、マスコミの取材も入ります」

それで今日、《ヴィーナス》に乗り込んだのか。水沼としてもここが土俵際。

ところが完膚《かんぷ》なきまでにうっちゃられて……だからこんなにへこんで……。

彼の敗因の半分くらいは俺のせいだっていう負い目も手伝って、「今日いっぱいがタイムリミットなんですね？」と確認した。

「明日顔を出せなかったらエリの役は？」

水沼が首を前に倒す。

「……キャスト変更になります」

顔合わせに間に合わなかった時点で、エリの女優転身の途《みち》は絶たれる。彩《いろど》りのための端役のピンチヒッターなんて、それこそ列をなしているだろうし、一度ミソをつけた新人をもう一度拾い上げてくれるほど芸能界は寛容じゃない。

気まずそうな柴田、ご機嫌斜めな響、二つの顔を順に見て、最後、俺は水沼を見据えた。

「もう夕方の五時を回っています。自宅に戻っていないということは、エリちゃんは《M2》名義のマンションに匿《かくま》われている可能性が高い。店が引けてその部屋に戻ってしまったら、明日までに探し出すのはまず不可能です。彼女が《ヴィーナス》にいる間に捕まえるしかない。すぐに出ましょう」

「平間さん？」

水沼が瞠目《どうもく》し、響がちっと舌を打ち鳴らす。

くるりと反転し、まっすぐ壁際へと歩み寄った俺は、目を合わせないまま響の腕を引き、廊下に連れ出した。リビングとの境目の内扉を閉め、不機嫌な男に要求をぶつける。

「手を貸して欲しい」

響のリアクションは至ってシンプルだった。口をへの字に曲げただけ。

「戯言《たわごと》も大概にしとけ」

「頼むよ。刑事だろ？　俺たち三人じゃエリは救い出せない。おまえの力が必要なんだ」

「今日はあいにくと公休日だ。警察手帳も持っていない」

不遜な顔を睨みつけた。

……そうかよ。そっちがそういう態度なら、こっちも伝家《でんか》の宝刀《ほうとう》を抜かせてもらう。

「乗り込んでいった俺が、チンピラにボコられていいんだな？　殴られ蹴られ、輪姦されて、ヤク浸けにされてもいいんだな？」

「……おまえな」

「おまえが言ったんだぞ。いまでも満員電車に乗れば三回に一回の割合でケツを撫で回されるし、レイトショーの映画館で太股を撫でくり回されたのも片手じゃ足りない。それだけ男心をソソる俺がケダモノの檻《おり》に乗り込もうとしてるんだ。いいのかよ？」

眉尻がぴくっと動いた。もう一押し！

「……っ……」

「覚えてんだろ？　中・高と六年間、ロッカーに貼られ続けた野郎どもからの情け容赦ないメモの数々を。『好きだ』『ヤラせろ』『ケツ貸せ』なんてのはまだかわいげがあったよな。一度なんか使用済みのブリーフをロッカーの中に突っ込まれてさ、それがまたゴワゴワに固まってて」

「よせ」

眉間にくっきりと縦筋が走る。

「おまえ、そいつ、ぶん殴って病院送りにしたじゃん。たしか二個上のやつだったけど」

「思い出させるな。胸くそ悪い」

「俺だって、二度とあんな思いしたくないよ」

上目遣いに窺うと、苦虫を噛み潰したみたいな顔でそっぽを向いている。

よっしゃ、駄目押しだ！　と気合い入れたら、自分でも耳を疑うほど甘ったれた声が出た。

「なあ……本当にいいの？　俺がやられちゃってもいいのかよ？」

ギリギリと奥歯を摺り合わせる音。関節が白くなるほどきつく拳を握り締め、響が吠えた。

「くそったれが！」

咆吼《ほうこう》と同時に壁にガンッと蹴りが入る。

うっし、初勝利！

ぐっとガッツポーズを決めた俺は、両手でガシガシ頭を掻きむしっている男から離れ、内扉を開けた。二人に向かって叫ぶ。

「水沼さん、柴田——出るよ!」

5

《ヴィーナス》があるマンションの五十メートルほど手前の角で、俺は響のバイクの後部座席から降り立った。ヘルメットを取って頭を振っているところに、水沼と柴田が駆け寄ってくる。

「車は？」

「近くのパーキングに停めました」

水沼が答えると、響が柴田を見た。有無を言わせない厳しい声音で命じる。

「おまえは車の中で待機だ」

柴田が「はァ!?」と目を丸くした。俺も神蔵リーダーの意を汲《く》んで、真面目な顔で諭す。

「ここから先は危険が伴う。柴田になにかあったら、ご両親に申し訳が立たないし、竜平と鏡子さんにも怒られちゃうから」

「信じらんない！」「ヤダヤダ！」「ケチ！」などと、地団駄を踏んでわめき散らしたものの、結局最後まで響の決断を覆させることができなかった柴田が、不承不承パーキングに戻っていくのを見届けて——さて。

マンションの入り口をしばらく睨みつけていた響が、低い声で尋ねてきた。

「防犯カメラはあったか？」

「入り口にありました」

水沼の即答に腕を組む。

「おまえらは面が割れている……となると第一関門から厄介だな。……まあ、なんとかなるだろ。当たって砕けろだ」

エントランスに向かって歩き出した響を追おうとして、背後から腕を取られた。振り向くと、神妙な面持ちの水沼がすぐ後ろに立っている。

「本当になんとお礼を申し上げればいいのか」

改まった声を出し、水沼が深々と頭を下げた。いざ出陣の昂《たかぶ》りを削がれ、腹の中でため息をつきつつも、俺は小さく微笑む。

「気が早いですよ。まだこれからどうなるかもわからないのに」

「しかし、私はあなたにあんな失礼な物言いをしてしまった」

「気にしていません。俺たちの目的は一致しています。つまり仲間だ。力を合わせてエリちゃんを救出しましょう」

「ありがとうございます」

俺と水沼が追いつくと、響はマンションの入り口から五メートル程離れた場所に立ち、エントランスの一ヶ所を睨みつけていた。そこには水沼の証言どおり、小型の防犯カメラが設置されている。

「俺が客を装って切り込むか」

その発案を俺は即座に却下した。

「おまえは絶対客に見えないって。全身黒ずくめの大男なんか超怪しいよ」

黒のカットソーにレザーパンツ、やはりこれもレザーの、ノーカラーライダースジャケットを羽織った響を一瞥して首を振る。

「第一目つきが刑事《デカ》丸出し」

「だが、おまえたちの面が割れている以上、俺が行くしかな……」

「だからアタシが行くってば」

背後からの唐突な名乗りに三人一斉に振り返って、ハーイと右手を挙手したツインテールにぎょっと目を剝いた。

「柴田!?」

「車に戻ってろと言っただろうが！」

響の恫喝《どうかつ》もどこ吹く風。腰に手を置いた柴田が、開き直った様子で言い返す。

「困ってると思って戻ってきてあげたんだから感謝してよォ。てゆーかァ……」

そこで急にトーンダウンした。

「アタシだって……少しは役に立ちたいよ」

耳を疑う殊勝《しゅしょう》な台詞を口にした柴田から視線を転じて、傍らの響を見る。やつが渋い表情でうなずくのを確認してから柴田に視線を戻し、「わかった。おまえに頼む」と告げた。とたん、夕闇に溶けかけていた顔がパァッと明るく輝く。

「ただし任務終了後は、車の中で待機していること」

にーっといたずらっ子めいた笑顔が返ってきた。

「ラジャー！」


響の指示に従ってマンションの外壁に張りついた俺と水沼が息を潜《ひそ》めて見守る中、エントランスに立った柴田が、操作盤で《ヴィーナス》の部屋番号を押した。数秒後、インターフォンから『はい』と応答が返る。加賀の声だ。

「あの、アタシィ。前に渋谷でここの名刺もらったんだけど、いまちょっとピンチでバイトしたくってェ」

『ああ、面接の子ね。アポは取ってる？』

「アポいるんですかァ。たまたま近くまで来たから寄ってみたんだけどォ……ダメ？」

小首を傾げてカメラににっこりと笑いかける。竜平も一発でＯＫを出しそうなプロフェッショナルスマイルだ。当然、加賀もＯＫを出した。

『いいよ。いま開ける』

ピピーッ。

信号音を聞いた柴田が、くるっと振り返って得意顔でピース。スライドした自動ドアに向かって、俺、響、水沼の三名が駆け込み、ロビーに入る。柴田を含めた計四名で、階段を二階まで駆け上がった。

二〇一号室のドアの右側に響、左側に水沼と俺が待機し、ドアの前に立った柴田がブザーを押す。

息を殺して待つこと三十秒。ペタペタと足音が近づいてくる。ドアの前で足音が止まり、ドアスコープから外を窺う気配。柴田が笑顔を浮かべる。ガチャリ。鍵が回った。キィ……ドアが外開きに開く。顔を覗かせたのは忘れもしないガン黒の《ヴィーナス》マネージャー加賀だ。

「こんにちはァ」

柴田が元気よく挨拶《あいさつ》する。

「あ、どーも。中入って」

「ハーイ。おじゃましまァす」

大きな声で返事をしながら、言葉とは裏腹にツツツと後退した。一瞬後、かわいいＪＫと交代で登場した上背百八十六の大男に、加賀が意表を突かれた顔をする。だがすぐに、はっと身じろぎ、ドアを閉めようとした。ドアが閉じる寸前、響がライディングブーツを隙間に差し込む。

「くそ！」

叫んだ加賀の手首めがけ、響は肘を振り下ろした。言葉にならない悲鳴を上げて、加賀がドアノブから手を離す。ドアを全開させ、玄関に踏み込む響の背中に隠れるように、俺と水沼も室内に入った。お役目終了の柴田はすでに現場を離れている。

「誰だ、てめえ！」

手首を押さえて加賀が叫んだ。奥の部屋から、異変を察したらしい三人の男たちも飛び出してくる。そのうちの一人は、『カフェ・ルーブル』のマスターだった。

「あの口髭、手強いから気をつけろ」

耳打ちに、響が片眉を上げる。

「あいつか……おまえをいじめやがったのは」

ひとりごちる低音に殺気が籠《こも》っていて、むしろ俺がビビった。

俺や水沼を見て、語らずともこちらの用件に察しがついたのか、リーダー格の加賀が一歩前に出てくる。前傾姿勢のまま、下からじろりと睨み上げて言った。

「あんたたちの用件は察しがつくが、本人が帰りたくないって言ってるもんを、無理に帰すわけにもいかないんでね」

「なにを偉そうに理屈こねてやがる。こっちは火急の用でわざわざ出向いてんだよ。うだうだ言ってないでさっさと娘を渡せ」

響が普段よりさらに低い声で威嚇《いかく》する。

どっちがやくざだよ？　とこの場全員の心の声を代弁して——いる場合じゃない。

「渡せないと言ったら？」

お株を取られてたまるかとばかりに、加賀が殺気を漲《みなぎ》らせる。背後のチンピラたちにも緊張が走った。

「どうしても渡せないと言い張るのなら仕方がないな」

ついにやるのか。響の挑発を耳に俺も腹を決めた。敵は四人。あのマスターと加賀は響に任せるとして、水沼と俺で一人ずつ担当か。心許ないが、ここはなんとかするしかない。

不意に響がガッと前に踏み込んだ。その圧力に圧された男たちが後退し、一同は廊下から奥の部屋へと場所を移す。以前、女の子たちが客待ちをしていたリビングだ。その部屋の中程で、三対四で睨み合う。主に響と男たちの間で火花が散った。——一触即発の殺気を孕《はら》んだ沈黙が下りる。

「………………」

息が詰まるようなぴんと張り詰めた緊迫感が、ふっと途切れたそのとき、マスターと若い男が奇声をあげて飛びかかってきた。

左へ右へ軽く身を振ることで、響は二連チャンの突撃をあっさりと躱《かわ》し、ついでのように若い男の脚を薙《な》ぎ払う。男の体が浮き上がり、その勢いで床に顔面からダイブした。

「うぉお……」

鼻骨が折れたらしく、だらだら鼻血を流して転がり回る。

「くそっ！」

一方のマスターはさすがに体勢を立て直し、振り向き様にファイティングポーズを取った。

拳を握った両手を顔の前で構え、じりじりと間合いを詰めてくる。響は動かない。マスターが挑発するように軽いジャブを繰り出す。そのジャブをスッ、スッと響が避ける。焦《じ》れたマスターがついに大きく振りかぶってきた刹那《せつな》、拳を躱しつつ反転して、男の背後に回った。マスターがはっと振り仰ぐ。だが時すでに遅く、彼の左腕は響に摑まれていた。摑んだ腕を響がぐいっと捻り上げる。

「いっ……たたたっ！」

男が悲鳴をあげた。腕を高くねじ上げたまま、ものすごい形相のマスターを俺の前に突き出して、響が訊く。

「シンゴ、痛めたのは肩とどこだった？」

「ひ……肘」

答えと同時に、響がマスターを突き飛ばした。俺の目の前に男が転がってくる。寝転がるマスターのすぐ近くまで大股で歩み寄ってきた響が、もう一度俺に尋ねた。

「肘ってのは……ここか？」

〝ここ〟のくだりで、床に這いつくばった男の肘の関節を、ライディングブーツの踵《かかと》で押さえつける。俺がコクコクとうなずくのを待って、全体重をかけ、グリグリゴリゴリと踏みにじった。

「ひーっ！」

マスターが痛みに激しく顔を歪める。

「も、もういいよ、響！」

見かねて止めると、顔を上げた響は、鋭い眼差しを次なる標的――呆然と立ち尽くす加賀と一番若そうな男——へ向けた。

じわりと目を細め、眇《すが》めた半眼で加賀たちに近づいていく。長身から発せられる威圧感は俺でさえ怯むほどだったが、二人は果敢にも応戦の構えを取った。

睨み合う三人の男たちに、俺はふたたび息を詰める。

その緊迫した空気を破り、響がおもむろにライダースジャケットのポケットに手を入れた。加賀が肩を揺らして身構える。

俺も一瞬、拳銃を引き出すんじゃないかと思ったが、ポケットから現れたのは、スマートフォンだった。

「スマホ？」

加賀が面食らった声を出す。

「いまから渋谷中央署の組織犯罪対策課にかける。おまえらの親会社の取締役に名貸ししている橋本《はしもと》というのは、元木内《きうち》組の若頭だった男だな？　いまは木内組も看板を下ろして、名目上は不動産業を営む会社組織になっているが、叩けばまだ埃《ほこり》もたんまり出る。いまのところは、組対も寝た子を起こすまでもないと様子見中だろうが」

「組対？　てめえ……サツか？」

「今日はあいにく公休日で手帳がないがな」

「ヤバいっスよ、兄貴」

若い男が泣きそうな顔で加賀の腕を引いた。舎弟の手を邪険に振り払い、加賀が「うるせえ！」

と怒鳴る。

「ンなの鵜呑《うの》みにできるか！　サツだっていう証拠出せ、証拠！」

「だったらおまえが自分でかけろ。渋谷中央署の番号くらい検索できるだろ」

真意を計るように、響の顔にじっと視線を据えたまま、加賀が自分のスマホを取り出した。検索した渋谷中央署のナンバーをタップする加賀を、響は黙って見守っていたが、電話が繋がるのを見計らって指示を出す。

「生安一係の神蔵の代理だと告げて組対の斎田《さいた》を呼び出せ。いま時分ならデスクにいるはずだ」

言われたとおりにした結果、呼び出した相手が出たらしい。加賀が自分のスマホを突き出してきた。その顔は強ばり、口の端がピクピクと引き攣《つ》っている。受け取ったスマホを響が耳を当てた。

「斎田か。俺だ、神蔵だ。ああ……そうだ。電話で話した元木内組の件だ」

——と、いきなり加賀が響からスマホをひったくり、通話をブチッと切る。

「自分でかけておいて失礼なやつだな」

つぶやく響に、加賀が歯を剝いた。

「てめえこそ、デカのくせに脅しかけやがって！」

「エリは？　エリはどこですか!?」

それまでは俺同様、固唾《かたず》を呑んで成り行きを見守っていた水沼が、我に返ったかのように叫んだ。加賀が渋々と顎で指したドアに駆け寄る。俺も水沼のあとを追った。

「エリ!」

ドアを開けた水沼が、その場に立ちすくむ。彼の肩越しにバックヤードらしきこぢんまりした部屋を覗き込むと、これまでのやりとりを壁越しに聞いていたであろうエリが、ソファに一人ぽつんと座っていた。その顔は能面のような無表情で、外から心情は窺えない。

「水沼さん」

促すように、俺は目の前の背中を軽く押した。よろめいた水沼が三歩前へ出る。そのままエリの足許に跪《ひざまず》き、「エリ」と呼ぶ。

「……帰ろう」

エリは首を左右に振った。

「いや。帰らない」

「お願いだ。一緒に帰ってくれ」

水沼が縋るように手を摑むと、エリは「離して!」と叫んだ。

「触らないでよ! 汚らわしいっ」

「………っ」

衝撃を受けて固まった水沼を突き飛ばし、出入り口に向かう。ドア付近に立っていた俺には目もくれずに、リビングを抜けて廊下を駆け抜け、玄関から飛び出していった。

「水沼さん、追って! 追うんだ!」

俺の声で正気に返ったらしい水沼が、立ち上がってエリを追う。残った俺は、どうやらエリが寝泊まりしていたらしい部屋の中に入り、エリのコートを探した。明日は大事な顔合わせなのに、あんな薄着で寒空に長時間いたら風邪をひいてしまう。

「おまえはあいつらを追え。俺はまだこいつらに用がある」

広いリビングの片隅に固まった男たちを睨み据えて響が告げる。「了解」と応じた俺は、探し出したダッフルコートを手に玄関から出た。


外はすでにとっぷりと日が暮れていた。

マンションのエントランスから道に出て、視界の利かない夕暮れの住宅街を見回していると、誰かが肩を叩く。

「シンゴくん」

背後に立っていたのは柴田だった。

「あのコとマネだったらあっちに走っていったよ。ねェ、中どーなってるの?」

「サンキュ！　助かった。詳しい説明はあとで話すから、車で待ってて！」

不満そうな顔に礼を言い、柴田が示した右方向に向かって二百メートルほど走る。ほどなく左手前方に小さな公園が見えてきた。外灯に照らされた公園の中程に、二つのシルエットを認めて速度を落とす。

一つは水沼で、もう一つがエリ。エリはコンクリートで作られた滑り台の上で、膝を抱えてうずくまっている。水沼は滑り台の下に佇み、エリを見上げていた。水沼がそろっと近づくと、それを察したエリが声を張り上げる。

「それ以上近寄ったらここから飛び降りるわよ！」

水沼はふたたび立ち尽くした。

「私が怪我をしたらあなた困るでしょ？　会社をクビになるかもしれないものね」

くたびれたスーツの後ろ姿がゆっくりと首を振る。

「会社なんか……もうどうでもいいよ」

「嘘よ、そんなの」

「嘘じゃない。おまえが事務所を辞めたいと言うならそれでもいい。私の顔が見たくないと言うなら、私が辞めてもいい。もしそれで……おまえが家に戻って学校にちゃんと通ってくれるなら、会社なんてどうでもいい」

「……ママはどうなるの？」

「彼女のことは……きちんと責任を持って」

「責任ってなによ！」

突如、エリがヒステリックに叫んだ。

「ママと結婚するってこと？　あなた、私のパパになるの!?　そんなのいやよ！」

「エリ……」

「なんでそんなに鈍感なの？　私がなにを怒っているのと思っているの？　私は……！」

一瞬の間を置いて、激情が迸《ほとばし》る。

「あなたの一番でいたいのよ！　ママになんか取られたくない！　絶対にいやっ」

それは、弱冠十六歳の少女から発せられたとは思えない――息を呑むほど激しく情熱的な愛の告白だった。

告白された三十男は、傍《はた》から見ていて哀れみを覚えるほどに狼狽《ろうばい》していた。自分の耳が信じられないのか、壊れたカラクリ人形みたいに首を左右に何度も振っている。その気持ちは手に取るようにわかった。俺だって、狐につままれたみたいな気分だったから。

エリが？　この冴えないおっさんを？

「そんな……信じられない。おまえはいつだって私を冷たくあしらって……」

「気づかれたくなかったのよ。周囲に私の気持ちを知られたら、離れ離れにされると思ったから」

「………」

「矯正してまでモデルを続けてきたのだって、あなたと一緒にいたかったから。一緒にいられるならモデルとマネージャーの関係でもいいと思っていた。でもママに取られるのはいや！」

立ち上がったエリが震え声で選択を迫った。

「いまここで選んで!!　私とママ、どっちを取るの!?」

もはや情熱や感情だけで突き進めるほど若くはない。おそらく、この先に待ち受ける様々な困難や、クリアしなければならない幾つものハードルが頭を過ったことだろう。

それでも——水沼は揺るぎない強さで堂々と選択した。

同じ男として小さな羨望《せんぼう》を感じるくらい、その姿はなんだかかっこよかった。

「モデルでなくても、女優にならなくても、ただありのままのおまえが側《そば》にいてくれるなら、ほかにはなにもいらない」

エリの頬が、薔薇《ばら》が咲いたみたいに紅潮し、長い手脚がひらりと舞ったかと思うと、滑り台を滑り降りた。そのまま水沼に駆け寄り、胸に飛び込む。少しだけよろめいたけれど、マネージャーからたったいまカレシに昇格した男は、しっかりと恋人を抱き留めた。エリも恋人に抱きつき、うっとりとした面持ちでつぶやく。

「あなたが来てくれて本当にうれしかった。待っていたのよ。ずっと、ずっと……！」

どうやらコートは必要ないようだ。

水沼は不器用な男だけど、エリに風邪を引かせるようなヘマはしないだろう。

体だけじゃなく、心まで温める魔法を手に入れたのだから。

俺はダッフルコートをベンチの座面に置いて、回れ右をした。直後、分厚い壁に鼻をぶつける。

「いてっ」

鼻を押さえて仰ぎ見た先に、彫りの深い貌があった。

「……なんだ。おまえいたの？」

「ちょっと前から、おまえのすぐ後ろにいたぞ？」

響が、抱き合う水沼とエリに顎をしゃくる。

「あいつら、そうだったのか」

「らしいね。俺もさっき知ったけど」

「ふん……大騒ぎして、結局は色恋沙汰だったたってわけか」

「うん……でも」

「なんだ？」

「なんかさ、女の子ってすごいね。子供だと思っていたのに……急にあんな大人の女の顔で、ママと私どっちを取るの？　とか迫っちゃうんだもんな」

「だから女は怖いんだよ。油断してると骨の髄までしゃぶられるってな」

大仰《おおぎょう》に眉をひそめる響と肩を並べ、最後にもう一度振り返って恋人たちを見る。

自分が勝ち取った男を見つめるエリの顔は、外灯の光に照らされ、眩《まばゆ》いくらいに輝いていた。

竜平がここにいたら、歯ぎしりして悔しがるだろうな。だけど、どんな凄腕のカメラマンだって、あんな表情は引き出せない……たぶん。

「行くぞ」

響に促されて歩き出し、数歩行って「あっ」と声を出す。

「柴田のこと、忘れてた」

「車で待たせてある。肝心なところで除け者にされたって、かなりぶうたれてたぞ」

「なんだかんだいって活躍してくれたもんな。次の撮影のときにでもフォローしておくよ。あいつらは？」

「チンピラどもか？　いい機会だからな。ついでにもうちょい締めておいた」

物騒な笑みを浮かべる男を横目に、あれ以上やったら職務倫理に引っかかるんじゃ？　……と思ったりもしたけど、まあいいか。これでやつらが自制するようになれば、《ヴィーナス》にいた女の子たちも自然とフェイドアウトしていくだろうし。もちろん、根本の解決にはならないけれど。

「あのさ……」

足を止め、向き直って言い出したくせに、途中で口籠る。ほかの人間に言うのはなんてことないのに、こいつ相手だとなぜか素直に口に出せない言葉。

「あの……」

やっぱりどうしても面と向かっては言えなくて、微妙に視線を逸らす。

「ありがとう……その……いろいろと」

なんとか言い切ってちらっと窺うと、響は虚を衝かれたように目を見開いていた。やがてその目をじわじわと細め、自嘲気味に唇を歪める。

「どうした？　ずいぶんと殊勝だな」

「だっておまえ、ネットでいろいろ調べてくれたんだろ？　《M2》の背後関係とかさ」

「ゲストユーザーでログインしてな。おまえを待っていた間の暇潰しだ。ある程度バックボーンが読めてきたところで、組対にいる同期に電話をして裏を取った」

「組対の同期って、さっき電話した人？」

「やつには別件でフォローするさ」

それを聞いて、ちょっと複雑な気分になった。

「なんだかんだ言って、おまえって俺に甘いよな」

「これも惚れた弱みってやつか？」

冗談めかして、響が肩をすくめる。

「またすぐそうやって茶化す。……本気じゃないくせに……」

口を尖らせ、俺は公園の土を蹴った。

(だから、おまえのそういうところがいやなんだよ)

「本気ならおまえが困るだろうが」

低音でつぶやいた響が、体を俺のほうに向ける。視線と視線が正面からかち合った。黒い瞳からなぜか目を離せなくなる。

全身の強ばりを疎ましく感じた俺は、ぼそっと零した。

「そりゃ困るけど……」

響の眉がぴくっと動く。

「だったらこれ以上は訊くな。おまえの部屋でサカった理由もな」

絡み合っていた視線を断ち切って前を向くと、これ以上の会話を拒むように大股で公園から出ていった。

突き放された気分で、振り返る気配のないかたくなな背中をぼんやり見つめているうちに、足許から冷気が這い上がってくる。

さっきまで外気の寒さなんて忘れていたのに……。

ぶるっと身を震わせ、俺は響を追った。

あのキスの意味が知りたいわけじゃない。だけど、このままじゃあんまり中途半端で。

「おい！　待てよ！」

呼び止めに、響がぴたりと止まる。その場でくるりと反転した。勢いがついていたせいで急には止まれず、俺はやつの胸に飛び込んでしまう。

「うぷ」

顔から突っ込み、我に返ったときにはもう、腕が背中に回っていた。抱き締められて、体温が上昇する。抵抗しなきゃと思うのに、金縛りに遭《あ》ったみたいに体が動かない。

なんで……こいつの胸ってこんなに大きくてあったかいんだろう。

包み込まれていると、なんだかすごく安心する。同時に、胸の奥がひりひりと切なくて……。

全体重を預けてしまいそうになるのをギリギリで堪えていると、掠れた低音が落ちてきた。

「褒美が欲しい」

「褒……美？」

ぼんやりと繰り返す。

「今日のギャラだ。時間外労働は高くつくぞ」

「い、いくら？」

おそるおそる伺いを立てたら、「馬鹿。金じゃない」と呆れ声が言った。

「金じゃないって、じゃあな……」

問いかけた声の続きを、唇に塞がれる。啄《ついば》むような、やさしいキス。びっくりしている間に、熱い唇がちゅくっと音を立てて離れた。

「……手つけ分だ」

吐息のような囁きが耳殻に吹き込まれる。

「残りはまとめてしっかり取り立てさせてもらう。……おまえのカラダでな」

「………っ」

振り上げた視線の先に、いけ好かないにやにや笑い。数時間前の濃厚なキスがぶわわわわっと蘇ってきた俺は、どんっと響を突き飛ばし、後ろに飛び退った。

俺のリアクションに、ますますにやついたケダモノが念押しの一言。

「ケツの穴、よーく洗って待ってろよ」

「誰が待つか、このケダモノ!!」

そしてまた『Lovely』の撮影日がやってきた。

「ほーい、ラストシューティング完了。お疲れー！」

「お疲れ様でしたー！」

スタッフ全員の声がスタジオの高い天井に共鳴する。一ヶ月ぶりの撮影が、つつがなく完了したことに安堵して、俺は休憩室のソファに沈み込んだ。

「今月もなんとか時間内に終わったな」

やれやれといった面持ちで、竜平がテーブルの上のコーヒーに手を伸ばす。

「お疲れ。カット数多かったけど、みんながんばってくれたしね」

「特に柴田、気合い入ってたよなー。やっぱあれかね、ライバルの女優デビューがいい意味で刺激になっているのかね」

「かもね」

相沢エリと水沼からは、あの騒ぎのあとしばらくして、それぞれ連絡があった。

水沼からは、詫びと感謝をなかなかの達筆でしたためた手紙。エリは電話だった。

ドラマの撮影は順調だそうだ。どうやら女優になることは、エリ自身の夢になりつつあるらしい。

『学校との両立は大変ですけど、現場にいるだけで勉強になって、毎日が充実しています』

ママに関しては水沼と二人で説得したらしく、

『働き始めたんです。以前に勤めていたデパートがパート採用してくれて、知り合いもいるし、けっこう楽しくやっているみたい』

俺もその件は気にかかってたから、それを聞いて最後の荷物を降ろした気分になった。

「仕事もプライベートも、両方がんばってね」

『平間さんもお元気で。タイミングが合うようでしたら来春のオンエア観てみてくださいね』

そんなやりとりをしたのが、かれこれ一週間前だ。

「おまえに一連の経過は聞いたけどさ。そんでもまだピンとこねーよ。なんであの水沼かねえ」

竜平がコーヒーに口をつけながらぼやく。

「鏡子さんがあの子はファザコンだって言ってただろ。エリにとっては、水沼は初めて自分を認めて、守ってくれた異性なんだよ。兄でもあり、父でもあり」

俺も立ち上がり、サーバーからコーヒーを注いでいて、ふと思い出した。

「そういやさ、昨日響が知らせてくれたんだけど、例の店、潰れるらしい」

「例の店って、エリがいたデートクラブ？」

「うん。親会社の《M2》が高校生使ったAVをネット配信して摘発されたって」

「あっぶねー。ギリギリだったじゃん」

「だよな」

関連で《ヴィーナス》が摘発されて、その場にエリがいたら……と想像するとぞっとする。

「ひょっとして、神蔵のダンナのシワザ？」

「さあ、どうだろ。そうかもしれないけど、あいつ仕事のことは話さないから。——あ！」

メイクオフしたモデルたちが、二階のメイクルームから降りてきたのを見つけて、俺は手を振った。

「柴田！　ちょっと」

手招くと、今日もツインテールの柴田が犬みたいに駆けてくる。

「おまえさ、このあと時間ある？」

「なんで？」

「ほら、食事つきデートの約束」

「うっそマジ？　いいのォ!?」

ぴょんっと跳ね上がって喜色《きしょく》を浮かべたわりには、なぜかすぐに困った顔になる。

「なに？　先約アリ？」

「うーん……そーじゃないけどォ……」

らしくもなく歯切れ悪く語尾を濁していたが、ほどなく思い切ったように切り出してきた。

「あのさァ、シンゴくん、ゲイって本当？」

「えっ!?」

予期せぬ突っ込みに面食らい、俺が口をぱくぱくしている間にさらなる追及がくる。

「シンゴくんのバックには超怖い系のひとがついてて、ちょっかい出すと締められちゃうって。ひょっとしてさァ、その怖いひとってこの前の刑事のカレ？」

「誰がそんなことを？」

「竜平ちゃん」

野郎とんでもないデマを！　と振り向くと、さっきまで竜平がいたはずのスペースには誰もいなかった。

くそ……逃げ足の早いやつ。

「あの刑事さん、クールイケメンだったけど、でもマジ怖そうだったじゃん。あのときもさァ、最後はチンピラがわざわざ下まで見送りに来たんだよォ。だから、うちらモデル仲間でもシンゴくんに手ェ出すのやばくない？　って話になっててェ」

今日のモデルたちがよそよそしかった理由はそれかあ。

「言われてみればさァ、キレイ系とワイルド系で、カップルとして、ビジュアル的にも完成度高いもんねェ」

瞳をキラキラさせる柴田を前に、遠い目になる。……女子ってほんとそのネタ好きな？

それでも、響とのキスに酔って応えてしまったのは紛れもない事実なわけで。

だから、まったくすべてが言いがかりだと一蹴するわけにもいかず……。

「ふーん……そうなんだ……ふーん」

俺の表情をどう読み解いたのか、納得した様子でうなずいた柴田が、くるりと身を翻した。そのままモデル仲間が待つ、エレベーターホールへと駆けていく。

「え？　行っちゃうのか？　デートは？」

「やっぱ遠慮しとくー。バイバーイ、シンゴくん。カレシによろしくゥ！」

あああ……本当に行っちゃった。

右手を空《むな》しく握り締めていると、背後から能天気な声がかかった。

「あーらら、貴重な女子ファンだったのに」

振り向き様に金髪坊主を睨みつけ、俺は怒鳴った。

「竜平てめえ！　晩飯奢《おご》れ!!」


ティーンズモデル有志による『シンゴくんFC《ファンクラブ》』がその短い活動にあっさり終止符を打ち、入れ代わりで『シンゴくんとカレシのラブを見守る会《ウオッチす》』が発足の産声をあげたのは、そのわずか二日後のことであった——らしい。

オオカミとサル

「なああなあ、なんでそんなにでかいの？　なに食うとそんなにでかくなるの？　なあ？」

逆になにを食うとそんなに大きくなるのか問い質《ただ》してやりたくなるようなつぶらな瞳。その大きな目をキラキラ輝かせて、そいつが耳許でキーキー騒ぎ立てていた。

場所は、高い天井とクラシカルな内装が歴史を物語る古びた講堂。中等部入学式の垂れ幕も仰々《ぎょうぎょう》しい壇上で、『星陵《せいりょう》学園生徒としての誇りと心構え』をとくとくと説いているのは、白い髭《ひげ》の学園長だ。

新品の制服に身を包んだ少年たちも、それぞれが緊張の面持ちで、由緒ある式典に臨《のぞ》んでいる。

ただ一人、落ち着きのない少年を除いて。

光の加減で銀に光る髪。乳白色の肌。灰色がかった不思議な色の瞳。ここが男子校であるという認識に一瞬の疑念を差し挟ませる――少女と見まがうばかりの美貌を、その少年は生まれ持っていた。

だが、どうやら自身の特異なルックスに無自覚らしい美少年は、質問に答えない隣人が気に入らないのか、桜色の唇を尖らせ、しつこく何度も「なあなあ」を繰り返す。無邪気なボーイソプラノに誘われたかのように、周囲の少年たちがチラチラと視線を送り始めた。しかし、学年でも頭一つ分飛び抜けた隣人のガタイのよさに興味津々の美少年は、自分に向けられる注視を気に留める様子もなく、ついには隣の彼の肩を摑んで揺すった。

「なああなあってば、なあ」

これにはさすがに、日頃あまりものに動じない神蔵《かみくら》も切れた。

「うるせえぞ、チビ。学長の挨拶《あいさつ》の間くらい黙って座ってられねえのか」

とうに声変わりを完了した低音で凄まれた美少年が、華奢《きゃしゃ》な肩をびくりと震わせる。しばらく大きな目を見開いて固まっていたが、やがて薄ピンクの頬をぷっと膨《ふく》らませた。

「チビじゃねぇもん。平間《ひらま》シンゴだもん。なあなあ、おまえは名前なんてえの？　なんでそんなにでかくなるかなあ。俺なんて毎日朝昼晩と牛乳三本飲んでるのに背も伸びないし、筋肉もつかなくてさあ。同じ中一でなんでこんなに違うのかなあ」

「……………」

神蔵はくっきりとした眉をひそめ、あろうことか、さらに顔を寄せてきたチビを黙殺する。

父兄席に並ぶ兄の目さえなければ、こんなサル一匹、速攻でシメて、好き勝手にさせておかないのだが。

いまや新入生ほぼ全員の好奇の視線を、自分と横のサルが集めていることに気がつき、腹の中でちっと舌を打つ。彼自身は自覚していなかったが、実のところ注目の理由は、キーキーうるさいサルのせいだけではなかった。のちに奥多摩《おくたま》地区全域に勇名を轟《とどろ》かせる——泣く子も黙る伝説のカリスマ神蔵響《ひびき》は、すでにただ者ではないオーラを、百七十センチの恵まれた肉体から発していたのだ。

「牛乳じゃダメなのかな？　やっぱ肉か？　なあ、肉？」

「……………」

が、その彼をしても黙らせることができなかった『キーキーうるさいサル』が、のちのちおのれの人生に多大なダメージを負わせる宿命の相手となろうとは——当時の神蔵はむろんのこと、サル当人すら知る由《よし》もなかった。

運命の入学式から五年後の四月初旬。

夜七時から始まる新入生歓迎コンパの準備にあわただしい寮の内廊下を、大股で歩く大きな影があった。一歩ごとに旧い床板がギシギシと悲鳴を上げる。

中学三年ですでに百八十を超え、高等部の最上級生となった現在では全校内でも他の追随を許さない頑強な肉体と、十代とは思えない大人びた容貌。その存在感は、学生寮という空間において、明らかに異質だ。

「なんかさー、今年の高等部からの編入組、冴えなくね？」

「おー、全体的に地味だよな」

「新歓なのに上がらねーよな。平間先輩ほどは望まないから、せめてもうちょっと目にやさしいルーキー欲しいよなー」

「神様、アイドルに飢えてる俺たちにお恵みを～」

廊下の向こうから、大声で話しながらやってきた下級生二人が、神蔵に気がついてびくっと肩を揺らした。直後にしゃきっと背筋を伸ばす。

「か、神蔵先輩！　お疲れ様です！」

「っす！」

強ばった顔で挨拶をしてくる下級生に、神蔵は「おう」と応じた。すれ違ったあともしばらく、後輩たちは直立不動で神蔵を見送る。

神蔵が在籍する星陵学園は、東京とは名ばかりの、最寄り駅までバスで十五分かかる山間地に建つ。中・高一貫教育校である上に全寮制であるので、山の中の寮に押し込められた約六百人の人間関係は、当然ながら煮詰まり切っている。

新しい人間関係の始まりに（たとえそれが同性であろうとも）少なからず浮き足立ってしまうのは、人間としてまっとうな心理現象だ。さらに、高等部に限って学校黙認で酒が呑める年に一度の無礼講イベント——なにかと息苦しい寮生活の唯一の捌け口である『新歓コンパ』を目前に控えているとなれば、寮全体が高揚《こうよう》するのも致し方ない。

だが、この浮ついた空気に紛れるような、きなくさい気配は気に入らない。

新歓騒ぎのどさくさに紛れ、学園のアイドルに悪さを企《たくら》む者たちの暗躍の気配を、ここ数日、神蔵は感じていた。

ほんのわずかな異変すら嗅ぎつける動物並みの勘は、入学式でガツンと押さえ込めなかったばかりに、いま現在も野放し状態が続く平間シンゴとの共同生活が、神蔵にもたらした特別な才だ。

約六百匹のオオカミの魔の手から友を護《まも》るために、望むと望まないに拘《かかわ》らず、ボディガードの任を負わされた五年の歳月で、いつしか発達してしまった第六感。

それでもまだ、頼りになる相棒がいた頃はよかった。

保護者コンビの相方であった永瀬貴水《ながせたかみ》がアメリカ留学に発った昨秋以来、お守り役としての神蔵の負担は懸念《けねん》どおりに二倍となり、昼に、夜に、校舎で、寮で、シンゴの動向を見張るのはもはや生活の一部となりつつある。

そんな生活が半年余り続けば、さすがにタフな神蔵も息が切れる。

（これがあと一年か？　……勘弁してくれ）

今更すぎるが、あんな容姿の息子を全寮制の男子校に放り込んだ親の無謀さを罵《ののし》りたくもなる。

ふう……とため息を落としたとき、バックポケットの携帯が鳴った。ポケットから携帯を引き抜き、フリップを開く。発信者を確かめて耳に当てた。

「ケンジ、どうした？」

問いかけると、若い男がほっとしたような声を出す。

『響さん！　捕まってよかったっス』

〝さん〟づけで呼んでくるが、ケンジは神蔵より二つ年長だった。地元の工業高校を出て駅近のＧＳ《ガソリンスタンド》で働いている、神蔵の走り屋仲間の一人だ。

星陵学園は校則に於いて、原付以外のバイクの使用を禁じている。だが、そんな掟《おきて》に縛られるつもりなど毛頭なかった神蔵は、十六になるや速攻で二輪免許を取り、これもやはり校則が禁ずるところのバイトの稼ぎで中古のカワサキを購入した。

以後、週一ペースで寮を抜け出して峠を攻めていたところ、それが近隣の「走り屋」の間で高ずい評価を得たらしく、追走のバイクを認めてから一ヶ月も経たないうちに、気がつけばそこそこの頭数のチームが形成されていた。

深夜のライディングは、シンゴのお守りで生じるストレスのてっとり早い発散法だった。それがいつの間にか勝手に総勢二十人ほどのチームのリーダーに祭り上げられ、日を追って『神蔵響』の名前が一人歩きをしている現実には、正直戸惑いの気持ちのほうが大きい。

そんな心情から意識的に走り屋仲間と一線を引く神蔵だったが、今日はいつになく、電話口のケンジから深刻な気配を感じ取った。

「なんだ？　またいざこざか？」

つい問い質す。するとケンジの口調がいよいよシリアスになった。

『ついさっき、無国峠《むこくとうげ》でトラブったんスよ。例のチンピラどもが、また因縁《いんねん》つけてきやがって』

ここ数週間、質《たち》の悪いチンピラ集団から執拗に因縁をつけられ続け、ただでさえ血気盛んな仲間がピリピリしているという話は聞き及んでいた。

神蔵自身、売られた喧嘩を買うことはやぶさかではないが、ひと暴れするたびに親代わりの兄が呼び出されるのは痛い。できることならこれ以上、兄不孝の上塗りはしたくないのが本音だった。

「相手にするなと言っただろう？」

『けど、やつらマジでしつこく煽ってきて……。こっちも気が短けえのばっかだから、オレじゃ抑え切れなくて……ついにマサルの馬鹿が突っ込んじまったんス』

「マサルが？」

犬のように神蔵を慕ってくる年下の少年の、見るからに短気そうな顔が眼裏《まなうら》に浮かぶ。

『そんでちょっとした乱闘になって入り乱れているうちに、マサルのやつが一発食らって』

「食らった？」

『木刀で頭ぶん殴られて、ぶっ倒れたところをそのまま連れ去られちまったんスよ』

神蔵は低く舌を鳴らした。

『去り際にやつら、「神蔵の挨拶を待つ」って言ってました』

「――やつらのヤサはどこだ？」

渋々と確認する神蔵に、ケンジが一転嬉々とした声色で答える。

『弥生町《やよいちょう》五叉路《ごさろ》近くの旧《ふる》い倉庫らしいっス。潰れたパチンコ屋の隣です』

「わかった。二十分で着くから先に行って待機していろ」

『うっス！』

「いいか？　俺が着くまでは動くな。先走るなよ」

いまにも木刀をぶん回して走り出しそうな男に釘を刺し、通話を切った。

よりによって『新歓』の日にけしかけてくるチンピラどもは腹立たしいが、その挑発にうかうかと乗ったマサルも同罪。だからといって耳に入れてしまった以上、仲間の危機をスルーするわけにもいかない。

携帯の時刻表示は六時三分を示している。

(いまから出りゃ呑みが始まる七時までにギリギリ片がつくか。……いや、つけるしかねえ)

自問自答して廊下を急ぐ。ほどなく階段が見えてきた。神蔵たち最上級生の部屋は二階だ。

階段を二段飛ばしで駆け上がり、二階に着いたとき、廊下の端からやってくる華奢な姿が目に入った。

Tシャツに短パンというラフな格好。剝《む》き出しの生足、風呂上がりの濡れ髪、首にタオルをかけ、右手には好物のパック牛乳。鼻歌を口ずさむ能天気さに、神蔵のこめかみはみるみる青筋を刻んだ。大きなストライドで距離を詰めるやいなや、Tシャツの首元をむんずと摑む。

「いてえっ！　なにすんだよ!?」

抗議の声はスルーして、そのまま自分たちの部屋まで引き摺り、ドアを開けて中へ押し込んだ。室内に入ってもまだ力を緩めず、ベッドの側《そば》まで来てようやく手を離す。肩をどんっと突き飛ばし、ベッドに尻もちをついたシンゴに、覆い被さるようにして低く凄んだ。

「なにすんだはこっちの台詞《せりふ》だ！　誰がそんな格好でふらふらしていいと言った？　なんだっておまえは俺が目を離した十分も部屋でじっとしてられねえんだ？　えっ!?」

「風呂に入ったら喉が渇いたんだよ！　下の自販機までの往復三分くらい、いいじゃんか！」

殺気立つ神蔵に負けじと、シンゴが猫のような大きな目を光らせる。

「その三分でも充分にコトは完了するんだ。いいか？　どうしても辛抱できないなら、せめて脚は隠していけ。わざわざ無用な挑発はするな。そんな格好で刺激しておいて、犯られて泣いたって誰も同情しないぞ」

「おまえは簡単に言うけど、風呂上がりにジャージとか穿《は》いてらんねーよ！　これでも我慢して譲歩《じょうほ》してんだぞ。本当はTシャツだって着たくないのに！」

半裸で歩き回りたいのをおまえがうるさく言うから我慢してやっているんだと言わんばかりの無神経な物言い。

「………」

神蔵は言いようのない虚脱感を覚え、膨れっ面の悪友からのろのろと身を引いた。

親も親なら子も子だ。自覚のなさでは夕メを張る。

これだけ長い間、発情期のオオカミたちの欲望の対象とされながら、いまもって切実な危機感に欠けるとは、一体どういう神経なのか？　ザイル並みの極太か？

知らず識らずに、口から重いため息が零《こぼ》れ落ちていた。ベッドの上のシンゴを見ると、まだむくれ顔でこちらを睨《にら》んでいる。

そんな顔すら「たまらなくキュート」と、シンゴ推《お》しの男どもは手放しの称賛を送るのだろう。

たしかに見た目だけは絶品だ。変声期前はそこそこの美少年であっても、大概は第二次成長期後にただのニキビ面の男子高生に成り下がる。だが、こいつはそうならなかった。

さらさらと流れる明るい髪。ミルク色の肌。折れそうに細い手脚とスレンダーな腰。眦《まなじり》が切れ上がった大きな目と、つんと上を向いた細い鼻。愛らしい桜色の唇。入学時に、全校生徒および教職員に衝撃を与えた、少女と見まがう美貌はキープされたままだ。

ルックスの完成度は認める。認めるが中身とのギャップはどうだ？

神蔵に言わせれば、どんなに極上の見た目であっても中身はただのサルだ。

こんなサルにどいつもこいつも入れあげて、一度でいい、モノにできたら本望などと口を揃える。入学式で一目惚れして以降、シンゴ一筋という年季の入った崇拝者——同学年の高橋《たかはし》という男が会長を自任するファンクラブまであって、会員間では隠し撮りの生写真が驚くような高値で売買されていると聞く。

さらに今年はラストイヤー。卒業までにどんな手を使ってでも思いを遂げたいと思い詰める輩《やから》もちらほらいるようだ。

ところが当のサルは、おのれの貞操がここまで無事であったことが『星陵七不思議』に数えられるほどの奇跡であること、そしてその奇跡の陰に、神蔵といまは無き永瀬貴水の多大なる犠牲と尽力があったことを、どうやらほとんどわかっていないのだから、守護神の苦悩は深いのだった。

(ったく、塀の外に出りゃいくらでも本物の女がいるだろうが)

心のつぶやきに、ふと、失念していた案件が蘇ってくる。

しまった。こいつの生足にカッとなっている場合じゃなかった。

ベッドから離れ、ライダースジャケットとバイクのキーを摑んだ神蔵を、シンゴが見とがめる。

「なに？　出かけんの？　これから新歓だぞ？」

ちらっと横目でシンゴを見て、あえて無表情に告げた。

「一時間ほど出てくる。悪いが、俺が戻るまで部屋で待機していてくれ」

「えーっ？」

たちまち不満そうに唇を尖らせる。

以前からシンゴは神蔵の外での活動を快く思っていない。ボディガードが出かければ、自分は自室に籠《こも》っていなければならず、行動に制限がかかるからだ。故に、神蔵も外出は深夜に限り、それがままならない場合はシンゴも同行させるなどの便宜《べんぎ》をはかってきたが、今回ばかりは不測の事態。反論を受けつけない厳しい口調で言い渡す。

「鍵をしっかりかけて、誰の誘いにも乗るんじゃないぞ」

「さっきまで出かけるなんて言ってなかったじゃん」

「急な呼び出しがかかった。聞き分けろ」

いつもならもう少し時間をかけてなだめるのだが、その余裕もなくライダースを羽織ると、ジャケットの裾を引っ張られた。振り向けば、まるで置いていかれる子供のような頼りない顔が自分を見ている。

「じゃあ俺も行く。一緒に連れてって」

「今日は駄目だ。なるべく早く戻るから。――いい子で待っていろ」

胸の奥から込み上げてきた甘酸っぱい衝動に唆《そそのか》され、手を伸ばした。だが白い顔に触れる直前、ふと我に返ったようにその手を引っ込める。そのまま部屋を出た。

「ドケチー!!」

閉めたドア越しに飛んできた怒りの声に振り向くことなく、神蔵は愛車を隠した裏庭に向かって駆け出した。

目的地の倉庫の前には、すでにチームの半数ほどが集結していた。エンジンを止め、カワサキを跨《また》ぎ降りた神蔵の許に、自称サブリーダーのケンジが走り寄ってくる。

「響さん！」

「やつらは中か？」

「はい」

確認するなり入り口へ歩き出す神蔵を、ケンジが追った。血気に逸《はや》った少年たちもつき従う。

朽《く》ちかけた薄暗い倉庫の中は、独特な饐《す》えた匂いに混じって、煙草の煙が充満していた。

「よお、リーダー。待ちわびたぜ」

積まれた廃材から一人の男が立ち上がる。年の頃二十代前半の、見るからに安っぽいチンピラだ。短く刈り込んだ赤い髪に、趣味の悪い原色のオープンシャツ。だらしなく開いた胸許にぶら下げた金鎖を揺らしながら近づいてくると、先頭の神蔵をじろじろと眺め回す。

「あんたが噂の『カミクラ』か。なるほど、ちんけな走り屋の頭《ヘッド》を張らせておくにゃ惜しいガタイだ。へっ、おまけに男前ときてやがる」

目の前の男を勝手にしゃべらせておいて、その間、神蔵は敵の勢力を見定めた。兵隊は十五人。

こっちの人数を差し引いた五人が自分の受け持ちとなる。十分で片付ければ問題ない。そう算段すると、グダグダとくだらない無駄口を遮った。

「マサルはどこだ？」

ドスの利いた低音に一瞬たじろいだ男が、そんな自分に腹を立てたかのように口許を歪め、顎をしゃくる。合図に応じて廃材の陰から二人の男が現れ、なにかを引き摺りながら近づいてきた。目の前に投げ出されたその「なにか」を一瞥し、神蔵は眉根を寄せる。

「……マサル」

「そうだ。あんたのかわいい子分だぜ。おとなしくエサになってりゃいいものを、意気がりやがるからつい俺たちもかわいがりすぎちまったが」

ゲスな笑いを浮かべる男の足許に転がるマサルは、見るも無残な有様だった。びりびりに裂けた衣服から、むごたらしい殴打痕が覗く。鼻は曲がり、痛みに呻《うめ》く唇は腫《は》れ上がって、顔中に血がこびりついていた。

望んで得たリーダーの座ではなく、慕われて光栄なメンツでもないが、単純で侠気《おとこぎ》だけはある男たちと一年余り走ればそれなりの情も湧く。

成功や堅実さとは無縁の、有り体に言ってしまえば落ち零れ集団。マサルにしても、どう甘く見積もっても上等な人間とは言いがたい。しかしだからといって、ボロ雑巾《ぞうきん》のようにされていい道理はないはずだった。

「…………」

無言でマサルを見下ろす神蔵をどう捉えたのか。赤髪のチンピラが安っぽい笑みを薄い唇に張りつかせたまま、足許のマサルを蹴り上げる。

「ウグッ」

仲間を痛めつけられた男たちが、いまにも前に出ようとするのを視線でいさめると、神蔵は一人前へ出た。

「なにが望みだ？」

「あんたの身柄を数時間拘束するだけで、けっこうなシノギが転がり込む算段でね」

その言葉に眉根を寄せ、「どういうことだ」と詰め寄る。すると男が叫んだ。

「それ以上、近寄るんじゃねえ！」

懐《ふところ》からジャックナイフを取り出してマサルを引き起こし、その首筋に切っ先を当てる。

「こいつがどうなってもいいの……かっ！」

口上の終わりまで待ってやる義理はなかった。高く蹴り上げられた神蔵の右足によって、男のジャックナイフが宙を舞う。あっと口を開いて固まる男の顔面を、次にストレートが襲った。グギッと鈍い音が響き、鼻を折られた男が、声にならない悲鳴をあげてもんどりうつ。倒れ込んだ男を長い脚で跨ぎ、神蔵はその胸座《むなぐら》を摑んだ。

「誰に頼まれた？」

答えない男をがくがくと揺さぶって恫喝《どうかつ》する。

「言え！」

「あ、あんたんとこの……三年だよっ」

舌打ちと同時に鼻血男を突き放したとたん、それまで固唾《かたず》を呑んで状況を見守っていたチンピラどもが一斉に襲いかかってきた。こちらも仲間が待ってましたとばかりに応戦し、敵味方が入り乱れての乱闘となる。

その渦中《かちゅう》で、マサルを廃材の陰に避難させた神蔵は、効率のいい一撃で敵の兵隊を次々と沈め、戦力的にイーブンと踏んだ時点でケンジを探した。木刀を振り回す二の腕を摑み、耳許に囁く。

「俺は抜ける。おまえらも適当なところで切り上げろ。マサルは老先生のところに連れて行って診《み》てもらえ」

指示を出すなりバイクに飛び乗り、疾風のごとく走り去った。

かっ飛ばしたが、寮に戻れたのは七時半。

危惧していたとおり、部屋にシンゴの姿はなかった。もぬけの殻《から》の部屋の前で身を返した神蔵は、そのまま新歓コンパの会場である一階の集会室まで、ノンストップで寮内を駆け抜けた。

音高く扉を引き開け、開始から三十分ですでに酒の匂いの充満する室内を見回す。シンゴの姿がないことを確認すると、三年が溜まっているエリアへと突進した。

よほど急ピッチで呷ったのか、すっかり出来上がった様子の彼らは、自分たちを覆う影に顔を上げ、逆光の中で底光りする双眸《そうぼう》をぼんやり見上げる。

「シンゴはどこだ？」

しゃっきりしないクラスメイトを睥睨《へいげい》した神蔵は、殺気を孕《はら》んだ低音で問うた。

「……平間？　さっきまでそこに……」

「高橋たちとあのへんで呑んでたけど……そういやいないな」

ろれつの怪しい証言を得るやいなや踵を返し、ふたたび走り出す。廊下に飛び出し、さっき来た道を最上階まで逆走した。階段を三段抜かしで駆け上がりながら、奥歯をギリギリ摺り合わせる。

（高橋の野郎……！）

指一本触れてみろ。ただじゃおかねえ。

過去五年におけるプレゼントおよび手紙攻勢もダントツ、自称『平間シンゴFC《ファンクラブ》』会長の高橋は、財閥系企業オーナーを父に持つ御曹司《おんぞうし》で、親の金にものを言わせ、通常の倍の面積の特別室を一人で独占している。

最上階の最奥に位置する特別室に辿り着くなり、鍵のかかった立派な木製の扉を、寸分の躊《ちゅう》躇《ちょ》もなく神蔵は蹴り開けた。破壊音と共に現れた大男に、キングサイズのベッドの上の少年たちがぎょっと目を剝く。

シンゴの肩を抱いて髪を撫でていた指をフリーズさせている、チャラい男が高橋。反対側から、シンゴの腰を抱いているのがファンクラブ副会長の二年だ。

鋼《はがね》のような眼光に射すくめられ、二つの顔がみるみる青ざめていく。二人に挟まれたシンゴだけが、ぼーっと不思議そうな表情で神蔵を見ていた。かなり酔っているのか、目の焦点が合わず、ボタンを外されたシャツの胸元から覗く肌も、うっすらピンク色に染まっている。

囚われの友のあられもない姿に、神蔵は刹那息を呑んだ。だがどうやら見た目以上の実害は被《こうむ》っていないようだと判断すると、ベッドに大股で歩み寄る。

「——帰るぞ」

手を差し伸べて、思いがけず「いやだ」と抗《あらが》われた。

「シンゴ！」

思わず放った怒声に、当のシンゴではなく、高橋と副会長がびくっとすくみ上がる。

「なにが『いやだ』だ。このガキ」

「だっておまえ、ずるい。俺を置いて一人で遊びに行って……ずるいっ」

「……っ」

今日一日分の疲れがどっと襲いかかってきた。頭を振ってかろうじてその倦怠感を散らした神蔵は、いやがるシンゴを猫のようにつまみ、ひょいと左肩に担ぎ上げる。

「離せ！　ばかーっ！」

バタバタと足をばたつかせて暴れるサルを無言でいなしつつドアへと引き返し、廊下に出る寸前に振り返った。ベッドで硬直している高橋を「おい」と低く呼ぶ。

びくりと反応したチャラ男に言った。

「おまえが金にものを言わせて雇ったチンピラだがな。そろそろ倉庫でくたばっている頃だ。もともとおしゃべりな男だが、鼻っ柱を折られたショックでさらに口が軽くなっているかもしれないぞ。チンピラとの交友関係が警察にばれる前に、パパに泣きついておいたほうがいいんじゃないのか」

さーっと青ざめた高橋と副会長に背を向け、特別室から出る。

ここ数週間、あのチンピラどもを使って神蔵のチームをけしかけるところから始まり、すべてが今日のためのお膳立てだとしたら、相当に周到で大がかりな仕掛けだ。金も人手もかかっている。そうまでして、このサルを手に入れたかったのか。

（……理解できん）

理解しようとも思わないが。

「下ろせ！　下ろせよーっ」

暴れるシンゴを左肩に、複雑な気分を抱えながら、神蔵は自室へ戻った。ドアを蹴り開け、暴れるサルをベッドに投げ下ろす。跳ね起きたシンゴがキッと睨んできた。紅潮した顔を憮然と見下ろして低く尋ねる。

「なぜ俺の言いつけを守らなかった？」

「てか、なんで俺がおまえの言いつけに従わなきゃなんないんだよ？」

「ほう。だったら好きにしろ。好き勝手して六百人に輪姦されろ」

シンゴがぴくっと顔を引き攣《つ》らせた。

「いいか？　男は誰だってチャンスさえあればオオカミに変身するんだ。おまえをモノにするために大枚を叩く、高橋みたいな大馬鹿だっている。自分がオオカミの群れの中の羊だって自覚しろ！　みずから食べてくださいと言わんばかりに隙を見せてどうする！」

できればこの機に、自分の置かれたポジションを自覚させたい保護者の熱弁に、シンゴは唇を悔しそうに噛み締めた。黙っているので、少しは堪《こた》えたのかと思っていると、突然、話の道筋を大幅に逸脱したいちゃもんをつけてくる。

「でもやっぱ、おまえばっかり外に遊びに行くのはずるい」

「ずるいって……おまえ」

的外れな言いがかりに、神蔵は脱力した。それでも気力を奮《ふる》い立たせ、「遊びに出たわけではない」と申し開こうとした矢先、シンゴが爆発する。

「今日だって女に会いに行ったんだろ？　俺をほっぽって女に会いに行った！」

一方的に決めつけるサルを呆れて見下ろした。

(なにをむくれているかと思えば……それか)

ここまで献身的に尽くして、こうも詰《なじ》られる理不尽に、自分が世界一報われない男のような気がしてくる。

「……だからどうした？　溜まってるもん出しに行ってなにが悪い？」

自暴自棄《じぼうじき》も手伝い、露悪《ろあく》的に嘯《うそぶ》くと、色事に免疫のないシンゴはたちまち耳まで真っ赤になった。

「ス……スケベ！」

叫んで手許の枕を投げつけてくる。一つ目は躱《かわ》したが、予期せぬ二個目が顔面に入った。直撃を食らい、さすがの忍耐力も限界を迎える。

「このガキ！」

飛びかかって、仰向けに倒れた細い体に乗り上げた。脇腹をくすぐろうとしてシャツを捲り上げ、触れた肌の思わぬ熱さに驚く。

「おまえ、どれだけ呑んだ？」

伸しかかる男の重さに眉をひそめたシンゴが、ゆるゆると首を振った。

「わかんない……。高橋がどんどん注いできて……」

(わかんないっておまえ……)

無防備を通り越した自殺行為に舌を打ち、ふと見下ろした小さな顔に虚《きょ》を衝《つ》かれた。

潤んだ大きな瞳が、神蔵をじっと見上げている。

「おまえなんか……なんにもわかってないくせに」

ぷっくりと膨らんだ桜色の唇が吐息のような囁きを零した。

「……シンゴ？」

「おまえが出かけている間……一人で待っている俺がどんな気持ちでいるか……知らないくせに。帰りが遅いと、もしかしてバイクで事故ったんじゃないかとか……もうこのまま帰ってこないんじゃないかとか……不安で」

「…………」

「……居ても立ってもいられなくて……だから」

高橋たちの呑みの誘いに乗ったのだ――と。

震え声でそんなかわいい告白をされて、神蔵は未知のものを見るような目つきでシンゴを見た。

（なんだ？　こいつ……いつもと違う）

そう思った瞬間、背筋をぞくっと悪寒が這い上がる。動物的な勘で危険を察し、反射的に身を引こうとした。が、体は動かず、自分が組み敷くシンゴを食い入るように見つめてしまう。

神蔵の凝視に息苦しさを覚えたのか、シンゴがぱしぱしと瞬きをする。その長いまつげの羽ばたきに誘われたがごとく、気がつけば彼の細い顎に手を伸ばしていた。右の手のひらで頤《おとがい》を包み込み、左の指先でそっと唇の膨らみをなぞる。

「……んっ」

妙に色っぽい息を漏らし、シンゴが身じろいだ。

上唇と下唇の狭間《はざま》に指先を滑り込ませると、大きな瞳を見開いて少しの間固まっていたが、ほどなく、躊躇《ためら》いがちにピンクの舌先が神蔵の指をつつく。当初のこわごわといった動きが、子猫が母親の乳を飲むときのような熱心なものに変わるのに、さほど時間は要しなかった。

ピチャピチャと音を立てて舐められ、いつしか痺れるほどに熱くなった指先を持て余す。神蔵がやや乱暴に指を引き抜くと、「あっ」と非難めいた声を出した。

大切なものを途中で取り上げられた子供のような顔。

いまにもその口から溢《あふ》れそうな不満の声を封じ込めるために、唇を唇で塞ぐ。

「……んぅっ」

ただ単に、たしなめるつもりだった。しかし、合わせた唇は予想外に熱く、柔らかく、そして甘かった。まるで強い酒を大量に摂取した直後のように、神蔵の頭をグラグラと揺さぶる。

頭のどこかで警鐘《けいしょう》が鳴っていた。止まれ。止まれ。止まれ。

だが、性欲が服を着ていると言っても過言ではない十代の肉体にブレーキをかけられるほどには、神蔵の理性も成熟していない。

堪え切れずに唇を割り、舌を差し込む。口腔内の異物にシンゴがぴくっとたじろいだ。怯えて逃げ惑う舌を反射的に追い詰めると、観念したかのようにおずおずと応えてくる。稚拙《ちせつ》でたどたどしい動きに却って煽られた。

華奢な体をベッドに縫い留めるようにして、夢中でその濡れた舌を貪る。

「ふっ……ンっ……んぁっ」

(……まずい)

左脳の片隅に追いやられた神蔵の若い理性は、旗色が悪い中で、それでも闘っていた。

こいつはいま、ものすごく酔っている。

そうでなきゃ、お子様なこいつがこんなエロい声を出すわけがない。

そもそもいくら煽られたからといって、酔って正気じゃないこいつをいいようにするのでは高橋と同レベル——いや普段保護者面している分、それ以上に質《たち》が悪い。

なんのための五年だ？

誰にも指一本触れさせないで護ってきたものをテメエで汚してどうするよ？

「あっ……っ」

だがその葛藤《かっとう》も、シンゴが漏らした小さな喘ぎ一つにあっさり白旗《しらはた》を挙げて退却してしまう。

（くそっ）

サルの分際でヒト様の勃起中枢を惑乱させる白い首筋にむしゃぶりつくと、シンゴが「ひぁっ」と悲鳴をあげた。シャツを胸の上まで捲り上げ、なめらかな肌を手のひらで辿る。極上の肌理《きめ》を味わうように擦り、耳朶《じだ》に歯を立てた。

「やっ……」

甘い声でいやがられるとつい、「いやじゃねぇだろ？　いいんだろ？」といっそうの無体を働きたくなるのは、男の遺伝子に組み込まれた仕様なのか。

保護者としての背徳感やジレンマはもはや遥か彼方。ミイラ取りがミイラ——ならぬオオカミから護るつもりがいつの間にやら自分がオオカミに変身した神蔵の指は、堂に入った手管《てくだ》で、ただでさえ熱を帯びた体をさらに追い上げてしまう。

「やだ……やだって……やっ……」

胸の二つの突起を指の腹で刺激されたシンゴが、首を左右に振って必死に逃れようとした。しかし下半身に乗り上げた神蔵の重みから、逃れることはできない。白い肌が、みるみる羞恥に染まっていく。薄く開いた唇から覗く舌、反り返る喉がエロい。無意識の痴態《ちたい》に煽られて、固くなり始めた乳頭を、神蔵はくにゅりと押し潰した。

「やっ……あっ……」

泣き声が零れる。

「――なぜ泣く？」

問いかけに、濡れた大きな瞳が縋るように神蔵を見上げた。

「だって俺……変……だから」

「どう変なんだ？」

「……なんかめちゃくちゃ体が熱くて……苦しい」

「どこが苦しい？」

「わか……ない……」

首を振るシンゴの目許に唇で触れ、溢れる涙を吸い取る。ちゅっ、ちゅっと小さなキスを落としながら唇を移動させ、最後、キス待ち顔の唇にくちづけた。愛撫のように啄《ついば》んでいると、シンゴがみずから神蔵の首に腕を絡め、うっとりとした声で囁く。

「……苦しいけど……気持ちいい」

そんな男殺しな台詞、どこで覚えてきた？

保護者意識が発動したのも束の間、次の瞬間には男の本能という名の濁流に押し流されてしまう。

「なら……もっと気持ちいいことするか？」

小首を傾げて、シンゴが聞き返した。

「もっと？」

うなずきつつ、神蔵は、いまこの瞬間に明らかになった衝撃の事実に狼狽《ろうばい》していた。

乳くさいガキは苦手で、実際にこれまでつきあった女も年上が多かったので、これまで考えたこともなかったが、その実ロリコンの気があったのか？

寮にも、女に処女性を求めるアイドルオタクがいるが、まさか自分が同類であったとは……。

できれば全力で否定したかった。だがしかし、男の体は正直だ。

切迫した欲求にせっつかれ、両手を掴んで獲物の自由を完全に封じ込める。無防備な肌に唇で愛撫を施した。

あっけなく息を乱したシンゴが、掠れた声で「響……」と名を呼ぶのに、不意に胸の奥が熱くなる。

五年前の入学式の、あの腹立たしくも印象的な出会いからの年月。

いま手の中にあるこの華奢な体を、さまざまなものを犠牲にして護ってきたのは、腐れ縁から生じた義務感だとずっと思ってきた。

けれど本当は、自分以外の男に触れさせたくないという——ただの独占欲だったんじゃないのか。

ふと脳裏に浮かんだ〝気づき〟に、神蔵は瞠目《どうもく》した。

（そうなのか？）

自分でも気がついていなかった潜在意識を深く掘り下げようとした刹那、またねだるように「響」と名を呼ばれる。キスで応じているうちに、思考の尻尾を捕まえ損ねた。

「もう……どこにも行かないで」

懇願して、しがみついてくる腕の頼りないほどの細さに、胸が締めつけられる。

きつく抱き返して髪を撫で、「おまえを置いてもうどこへも行かない」とつぶやいて……。

「響……響……俺ね……」

消え入りそうな声が囁く。

「もしかしたら……ずっと……」

——ずっと？

小さな声が聞き取れず、問い返したとき、ピルルルルッと電子音が響き渡った。

ピルルルルッ。ピルルルルッ。ピルルルルッ。

当然無視したが、呼び出し音はしつこく、無視し切れないほどしつこく鳴り続ける。

「……くそ」

苛立《いらだ》った神蔵はボトムのポケットから携帯を引き出した。乱暴にフラップを開けば、すっかりその存在すら忘却の彼方だった【ケンジ】の表示。

まだ鳴り続けている携帯と、しどけない格好のシンゴを見比べる。

胸の上まで捲れ上がったシャツ。ところどころ自分の唾液で濡れて光る白い胸。ぽちっと勃ち上がったピンク色の胸の飾り。

その生々しさに今更ながらに狼狽《うろた》える。シャツを捲り上げたのは自分なのに、ひどくいたたまれない気分になり、ブランケットでシンゴを覆った。

「電話だ。少し待っていろ」

明らかに自分の置かれた状況がわかっていないぼんやりとした顔に囁き、額に唇を押しつけてから身を起こす。部屋の外に出て通話ボタンを押した。

「ケンジか？　タイミングが悪くてすぐに出られなかった」

『いえ、全然大丈夫っス』

電話越しの声から無事であることは伝わってきたが、一応「怪我はないか？」と確かめる。

『ピンピンッス。あれからほどなく俺らは引き上げたんスけど、どうやら近隣から通報があったらしくて、向こうは何人か逃げ遅れてパクられたらしいッス』

「マサルはどうだ？」

『神蔵さんの指示どおり、ジジイ先生のところに連れていって診てもらいましたけど、肋骨《ろっこつ》が二本イカレてるだけで、別段問題はないという話でした』

肋骨二本なら怪我のうちに入らないと言い切る老医師の剛胆さに苦笑しながら、報告の通話を切った。

ケンジと電話で話しているうちに、頭に上っていた血が下がり、ニュートラルな自分というものが戻ってきたのを感じる。

さっきは一瞬、甘美なひとときに水を差したケンジに殺意すら覚えたが、冷静になってみると救世主だったのかもしれない。

ケンジからの電話がなければ、自分はおそらくあのままシンゴを抱いていた。

欲望のままに、体を繋げるという行為の本当の意味を理解していない無垢な魂《たましい》ごと、その身を引き裂いていた……。

携帯を折り畳んで部屋に戻ると、ブランケットに包まれたシンゴはすやすやと寝入っていた。

ベッドの端に腰を下ろし、天使のようにあどけない寝顔を見下ろす。

やはり、あの妖艶《ようえん》なまでの色気はアルコールの魔力が見せた幻だったのだ。

よかった。壊してしまわなくて。

こいつの意志とは別なところで、勢いに流されて自分のものにしてしまわなくて……よかった。

安堵のため息を零しながら、わずかに寝乱れた明るい色の髪に触れた。次に、規則正しい息をしている唇にそっと触れる。指先が感じたしっとりと柔らかい感触に、複雑な感情がじわじわと込み上げてきた。

ひょっとしたら。いや、ひょっとしなくても。

俺はこいつの——いわゆるファーストキスとやらを奪ってしまったんじゃないのか。

罪悪感に胸がツキッと痛む。

だが、この時点で神蔵はまだ気がついていなかった。

友を哀れんだ当の自分こそが、キスより大事なものをサルごときに奪われてしまったことに。

「もう朝から上を下への大騒ぎ！　昨日の新歓で高橋たちがハメ外して問題起こしたらしくってさ！　今朝早くに警察が来て連れて行かれたらしいぜ！　事情聴取だって！」

食堂から戻ってきたシンゴが、ドアを開けるなり、興奮気味にまくし立てた。

「……そうか」

しかし、洗面台に立った神蔵がさほど興味を示さないと、「なんだよ、ノリが悪いやつぅ！」などと不満げに唇を尖らせる。

怒濤《どとう》の一夜から明けて、目覚めたシンゴは、幸いにと言うかなんと言うか、昨夜の出来事をきれいさっぱり、いっそ清々しいほどに覚えていなかった。

昨夜のエロさはどこへやら、すっかりいつものサルに戻ったシンゴに胸を撫で下ろす半面、なんとなく惜しくもあるような、もやもやとした気分を持て余しつつ神蔵が髭を剃っていると、突然「うあっ！」という声が聞こえてきた。振り返って見れば、着替えを始めたシンゴが立ち鏡の前で「なにこれ!?」と騒いでいる。

「いつの間にできたんだろ？」

カミソリを当てたまま、首を傾げるシンゴに近寄り、鏡越しにその胸を見た神蔵は、危うく顎の肉を削ぎ落としかけた。

「この赤い点々なんだと思う？　ジンマシンにしちゃ痒くないし」

自分がつけたキスマークを指さされ、軽く目眩《めまい》を覚える。あわてて洗面台に引き返し、冷水で顔をざぶざぶと洗った。

「医務室に行ったほうがいいかな？」

気がつくと背後に立っていたシンゴを、振り向き様に怒鳴りつける。

「行かなくていい！　ほっときゃ消える！」

一刀両断に言い切ると、恨めしそうな顔で睨まれた。

「なんだよ……冷たいじゃんか……友達なのに」

頬を膨らませたシンゴの腕を摑み、低い声で言い含める。

「いいか？　医務室には絶対行くな。それと俺以外の誰にも見せるな」

「なんでよ？」

神蔵は、これ以上ないほど厳しい顔を作った。

「おそらくそれはアレルギー反応だ。空気感染する危険性がある。俺にはもう免疫があるからいいが、ほかの人間に移さないためにも見せるな。いいな？」

「マジ？　アレルギーの空気感染とか聞いたことないけど」

「最近発表されたばかりの新種のアレルギーだ。おい、早く着替えないと遅刻するぞ」

「あっ……ほんとだ。やべー」

まんまとはぐらかされ、着替えの続きを始めたシンゴにほっとする。神蔵もネクタイを結び、制服のジャケットを羽織った。

仕上げの革靴の紐を結んでいたシンゴが、ふと思い出したようにつぶやく。

「それにしても高橋のやつ、いくら新歓は無礼講だからって警察沙汰とかなにやってんだよ。前から俺の誕生日に薔薇《ばら》を百本贈ってきたり……ズレてるって思ってたけどさ」

自分が元凶とはまるで思っていない言い草に、神蔵はふっと唇の片端を上げた。なんとかサルを丸め込めた安堵も手伝い、やれやれといった心境で首を左右に振る。

(高橋もまったくもって報われねえな)

このときの神蔵には、高橋などとは比べようもないほど報われないハメに陥る十年先の自分について——やはり、知る由もなかったのである。

トラブルメイカー
神蔵 Version

後輩であり、相方でもある春畑《はるはた》と雑談を交わしながら階段を下りていた神蔵《かみくら》の耳に、その聞き覚えのある声が届いたのは、二階のフロアに降り立ったときだった。

「響《ひびき》!?」

一瞬、空耳かと思った。

とてもよく耳になじんだ声ではあったが、それと同時に、二度と聞くことはないと思っていた声でもあったからだ。

声がした方角に視線を向け、立ち上がってこちらを見ているすらりと細身の男の姿を捉えた刹《せつ》那《な》、大袈裟ではなく全身に電流が走る。まさしく、雷に打たれたがごとく。

(シンゴ?)

八年ぶりに見る元悪友に、我が目を疑って、立ち尽くす。隣の春畑が「先輩?」と不思議そうな声を出したが、神蔵はそれどころではなかった。

夢か? 幻か? 白昼夢《はくちゅうむ》か?

眉間に皺《しわ》を寄せ、ひそかに震える手をぎゅっと握り締め、食い入るように凝視すること数十秒。向こうも、神蔵を見つめて立ち尽くしている。

消えないところをみると、どうやら白昼夢の類いではなさそうだ。そう判断したが、まだ信じられず、近くで確かめるために方向転換して歩き出した。無意識に足が急ぎ、あっという間に距離が縮む。

簡易テーブルまで近づいた神蔵は、そこで足を止め、八年ぶりの再会となる小さな貌《かお》を見下ろした。

最後にその顔を見たのは高校の卒業式。お互いに、まだ十代だった。

卒業式を機に道を分かち、連絡を絶ち、あれから八年の月日が過ぎた。

大学卒業後、社会人となって四年。神蔵自身、二十代を折り返して一年以上が経《た》つ。一度だけ参加した同窓会では、元クラスメイトたちが所帯を持って夫になったり、父親になったり、三十年ローンを背負ったりしていた。

時の流れは誰の上にも平等だと言うが、どうやら、こいつだけは例外だったらしい。それとも、なにか魔法でも使って時間を止めたのか？

そう疑いたくなるほどに、かつての悪友は変わっていなかった。少なくとも外見は記憶のまんまだ。

柔らかそうな明るい色の髪。細い眉。眦《まなじり》が切れ上がった大きな目。先端が少しだけ上向いた細い鼻梁《びりょう》。ふっくらとした唇。

よく見れば以前より、頬のラインがほっそりしたかもしれない。だが、異国の血を引く証《あかし》でもある白い肌は、相変わらず透き通るように美しかった。アッシュグレイの瞳も濁ることなく、すっきりと澄み切っている。

まるで八年のブランクなど存在しなかったかのように——そこにいる。

（あのときのまま……）

この瞬間を、一度も夢見なかったと言えば嘘だ。会いたいと思ったことは、一度や二度じゃない。だが、自分にその資格がないこともわかっていた。意を決して足を運んだ同窓会の会場にも瘦身《そうしん》は見当たらず、これまで一度も顔を見せていないし、最近はメールのレスポンスすらも返ってこないと幹事が嘆いていた。おそらく、自分のせいだ。自分に会いたくないがために、元クラスメイトたちとも連絡を絶っているのだろう。

以降、神蔵は、彼について考えないように努めた。記憶の片隅に追いやり、さらに箱の中にしまい込んで鍵をかけた。

そうまでしなければ、ふとしたきっかけで思い出してしまう。雑踏の中に、その姿を探してしまう。かつて自分に向けられた屈託のない笑顔を——。

二度と、笑いかけてくれることなどないとわかっているのに。

それでも、時に魔が差して夢想してしまっていた再会のシーン——その中でそうであったように、いま視線の先にいる現実のシンゴも、神蔵をキッと睨みつけていた。

その瞳が訴えてくる。俺はまだおまえを許していない。決して許すものか、と。

想像どおりの反応を目の当たりにして、胸に疼痛《とうつう》が走った。痛みを堪《こら》えるために、眉間に力を入れたとき。

「あれ?」

すっとんきょうな声があがった。

その段で初めて、シンゴの前に座る警察官に気がつく。それまでまったく目に入っていなかった。

「神蔵刑事、お知り合いですか？」

中年の警察官の問いかけに、シンゴがぎょっとする。

「けっ……？」

首を絞められた鶏みたいな声を発したきり絶句して、自分の顔をまじまじと見た。

八年間音信不通だったから、自分が刑事になったことをシンゴは知らない。

この職業に就くのは自分でさえ想定外であったから、いわんやブランクのあるシンゴが意表を突かれるのも当然だ。

（それにしても）

大きな目をひん剝《む》いて驚きを表すシンゴの表情《かお》に、ガキの時分とまるで変わらぬ子供っぽい内面が滲み出ていて、神蔵はなぜかほっとした。

変わっていない。中身も……昔のまんまだ。

感情がダダ漏れな顔を見ているうちに、予期せぬ再会に揺れていた胸の内が、徐々に凪《な》いでいくのを感じる。どうやら男泣きするなどの、最悪の失態を犯さずに済みそうだと安堵《あんど》した。さすがに職場で、後輩や同僚の前でそれをやったら面目が立たない。

「あんた……神蔵さんと知り合いなの？」

警察官がシンゴに尋《たず》ねた。返答を待たずに、「それならそうと早く言ってよ」などと文句を垂れている。

再会の衝撃で失念していたが、警察署で調書を取っているということは、なにか事件に巻き込まれたということだろう。昔からトラブルメイカーが服を着て歩いているようなやつだったから、驚くに値しないが。

神蔵は手を伸ばして、警察官の手許から調書を取り上げた。まだほとんどなにも書かれていないそれを一瞥したのちに、かつての悪友に尋ねる。

「財布でも落としたか」

とたん、シンゴの顔がわかりやすく、むっとした。どうやら違ったらしい。

「いいえ、ひったくりです。ここ最近頻発しておる、背後からバイクで近づき、バッグ等をひったくって逃走する手口ですな。被害総額は締めて二十一万五千六百飛んで三円。奪われたバッグの中身は、読みかけの文庫本、部屋の鍵、イヤホン、ハンドタオル、ティッシュ……」

警察官が被害の詳細を読み上げ始める。その間、まるで神蔵こそがバッグを奪った犯人であるかのように、憎々しげに自分を睨みつけてくる旧友の顔を、神蔵は複雑な気分で見返していた。

その夜の十時過ぎ、どうにか今日締めの業務に片をつけて独身寮に戻った神蔵は、ドアを開けたとたんむわっと押し寄せてくる熱気に、顔をしかめた。

部屋は六畳間に三畳のキッチンスペース、風呂とトイレという簡素な造りだ。建物自体が築三十年以上経過しており、建てつけが悪く、冬は寒くて夏は暑い。壁も薄いので、隣の部屋の生活音がまる聞こえだ。それでも、風呂・トイレ・台所が共同の独身寮が多いことを考えれば、ここはまだマシなほうだろう。どのみち、寝に帰るだけだ。

「くそ、暑いな……リモコン……どこだ」

熱気が籠《こも》った六畳間の真ん中で、スーツの上着を脱ぎながら、探し当てたリモコンのボタンを押す。だが、年代物のエアコンはウンともスンとも言わなかった。

このところずっと調子が悪く、冷風が出たり出なかったりと安定しなかったが、ついに本気で壊れたらしい。

明日の朝一で修理の要請をしても、なにしろ真夏の繁忙期だ。業者も大忙しで、迅速な対応は望めないに違いない。しばらくは扇風機でやり過ごすしかないのか……。

絶望的な気分でネクタイをむしり取り、がらっと窓を開けた。風が通るどころか、もわっとした熱風が入り込んできて閉口する。低く唸《うな》った。

「くそっ……オンボロ寮め！　いまに出てやる」

一昔前の警察官は、所帯を持つまでは独身寮で暮らすのが原則で、アパートやマンションで一人暮らしなど言語道断だったらしいが、昨今は時代の流れに抗《あらが》えず、そのあたりの規制も緩くなってきている。もとより神蔵は、唯々諾々《いいだくだく》と規定に準ずるタイプではない。そんなわけで、いつここを出ても構わないのだが、問題は引っ越し先の物件探しだ。日々の業務に忙殺されて、不動産屋巡りもままならないのが現状。ネットで検索もできるが、やはり最後は自分の目で部屋を確かめなければ決められない。

やっと少し風が吹いてきた。欠け始めた月を眺めつつ、シャツの胸ポケットからマルボロのパッケージを取り出す。トントンと叩いて一本出し、口に咥《くわ》えた。使い込んだジッポーで火を点《つ》ける。

肺まで深く吸い込み、ふーっと吐き出した紫煙《しえん》が風に流れていくのを目で追った。一服しながら、頭の中に蘇らせたのは、八年ぶりに見た旧友の顔だ。

次々と机の上に積み重なっていく書類を片づけることに追われ、じっくり考えられなかったが、ようやく昼間の出来事について頭を整理できる。

もう二度と会うことはないと思っていた男との再会。

運命の神の気まぐれかどうかはさておき――偶然のサプライズに際して、他の一般市民への対処と同じようにプロフェッショナルに徹し、案件を事務的に処理することもできた。そもそも、窃盗は刑事一課の担当だ。

だが、自分はそうしなかった。わざわざ担当していた警察官に代わって話を聞き、シンゴが金銭的に困っていると知ると、銀行に行って金を下ろして手渡した。この金で今日中に大家に家賃を払ってこいとケツを叩いた。

つまり、貸しを作った。

困っている人間に金を貸すのは、警察官としておかしな行動じゃない。その相手が、元とはいえ、六年寝起きを共にした友人であれば、むしろ当たり前だろう。

だがそこに、下心が介在しているとなるとどうだ？

ここで自分に問う。昼の自分に疚《やま》しい気持ちはまったくなかったか？　本当に心の底から純粋な好意だったか？

神蔵は、ふっと口の端で笑った。自嘲《じちょう》だ。

困っているシンゴを助けたいと思った。それは本当だ。しかし、心のもっと奥では、なんでもいいから繋がりが欲しかった。これで終わりにしたくなかった。どんなに細い糸でもいいから、繋がっていたかった。

だから、金を貸した。

(下心、満々だ)

未練がましいと笑いたければ笑え。こんなチャンスは二度と巡ってこないかもしれないのだ。

諦めようと思っていた。思っていたが、八年ぶりにシンゴの顔を見て気が変わった。

時を止めたように変わっていなかったあいつを見て、諦めるのをやめた。

八年の間に、ほかの級友たちのように大人の男になり、家庭を持っていたのなら、ひさしぶりに当たり障《さわ》りのない雑談をして、その場を終わらせただろう。同時に、大切にしまってあった青春の傷に終止符を打つことができた。

けれど、違った。

自分を睨みつける勝ち気な目を見て、あいつもまだ〝終わらせていない〟ことを知った。

あいつも、あのときのまま時を止めて〝待っていた〟。

きちんと心の内を明かし合うことなく道を分かった——あのときのまま。

宙ぶらりんな気持ちに決着がつく日を……待っていた。

（勝手な思い込みかもしれないが）

神がくれたチャンスならば、しがみつかせてもらう。他人から見ればどんなに滑稽《こっけい》でも。たとえシンゴのほうは望んでいなかったとしても。

この先に、なにがあるのかはわからない。

やっぱり会わなければよかったと後悔するのかもしれない。さらなる傷を負い、深追いすべきじゃなかったと、臍《ほぞ》を噬《か》む可能性だって充分ある。

（それでも……）

いまは諦めたくない。みっともなく足掻《あが》きたい。

後悔なら、もう十二分にした。八年間、後悔しない日など一日もなかった。

八年前の自分の行いを詫びて、償《つぐな》い、できればもう一度やり直したい。

あいつと……もう一度。


などと思った三週間前の自分の首を絞めてやりたい。

あのときの自分は忘れていたのだ。

あいつが、どれだけ無自覚に他人を振り回すトラブルメイカーであったかかを。

中・高と六年間、あいつの人騒がせな言動に、どれほど痛い目に遭《あ》わされたかを。

喉元過ぎれば熱さ忘れるとは、まさにこのことだ。

悔恨《かいこん》の念が、記憶に甘酸っぱいフィルターをかけていたのだと、いまならわかる。

ひとの話は話半分。どんなに真剣に言い聞かせても、右から左に受け流し、肝心なところに限ってスルー。

好奇心と向こうっ気は人一倍強く、無鉄砲に厄介ごとに首を突っ込んでは、あっさりと窮地に陥《おちい》る。

フィジカルはめっぽう弱いくせに、なぜか度胸だけはあるのが余計に質《たち》が悪い。

ついでに酒もたいして強くないのに、あとさき考えずによく呑む。

いまもまた、義姉の店『さくら』で日本酒をしこたま呑み、絵に描いたような千鳥足《ちどりあし》だ。野良猫を躱《かわ》しそこねてよろめいたシンゴを、神蔵は支えた。

なぜかそれが気に入らなかったらしい。口を尖らせて文句を言う。

「ちぇー……つきあい悪ぃやつぅ」

どうやら同じだけ呑んで、こっちがわかりやすく酔っていないのが腑《ふ》に落ちないようだ。

神蔵としては、そこで詰られる筋合いはないし、実はそれなりに酔っていたので、「顔に出ないだけで酔っているさ」と正直に返した。

「どこがあ……ぜぇんぜんシラフじゃん」

呂律《ろれつ》の回らない舌で文句を重ね、睨みつけてくる。酔うと顔が上気して瞳が潤み、妙に男心をソソるから気をつけろと、今度しらふのときに言って聞かせなければ。

「おまえってさあ、ほんとずるいよ。八年間……全然まったく連絡寄越《よこ》さないで……あのとき、あの場で偶然会わなかったら……一生会わないつもりだったんだろ」

（絡み酒か）

そういや昔からそうだったなと遠い目になりつつ、神蔵は「絡むな」と言った。酔っ払いをまともに相手にしても疲れるだけだ。どうせ明日には覚えていない。だから適当にいなすつもりだった。なのに。

「絡んでねーよ。……別に、おまえの連絡待ってたわけじゃないけど……けどさ、こんなふうに一緒に酒呑んだりしたら……まるで昔に戻ったみたいで……なんかさ……なんか」

そんなかわいいことを言うなんて反則だろう。

酔っ払いの戯言《たわごと》だとわかっていても、ぴくっと肩が揺れる。

「……おい、聞いてんのかよ？　黙ってないでなんとか言えよ」

絡んでくるシンゴに、ちっと舌を打った。華奢な腕を掴み、ぐいっと引き寄せて低く囁く。

「どう言えばお気に召すんだ？　この八年間、おまえのことを想わない日はなかった。だがおまえの拒絶を思うと身がすくんで動けなかったとでも言えばいいのか？　あの夜のことを……一生をかけて償うと誓って欲しいか？」

「な……に？」

不意を突かれたような顔。狼狽《ろうばい》もあらわなその表情を見たら、胸の奥が締めつけられるように

痛んだ。

本心を口にすれば、シンゴが混乱し、逃げるとわかっている。

だからまだ言葉にはできない。

喉許の言葉を呑み込み、代わりに、唇をこめかみへ移動させた。

火照《ほて》ったそこに一瞬だけ触れて、すぐに離す。

もっと触れたい自分を牽制《けんせい》するために、神蔵は摑んでいた腕を離した。

強ばった顔で立ち尽くすシンゴに、薄く笑いかける。

「あまり性急に追い詰めるな。こう見えてそれなりに動揺しているんだ。……なにしろ俺は前科一犯だからな」

自責の念を込めて告げるなり、踵《きびす》を返した。黙って先に歩き出す。

これ以上、酔ったシンゴの側《そば》に居るのは危険だ。だから離れた。

振り返りはしなかったが、背中で背後の気配を探る。

ほどなく、シンゴが後ろからついてくるのがわかった。

いまはこれでいい。

いまはまだ、このくらいの距離がちょうどいい。

明日はまた縮まるかもしれないし、逆に遠ざかるかもしれない。

先のことなんて……明日のことすら誰にもわからない。神のみぞ知る、だ。

(それでもいいさ)

さまざまな偶然が折り重なった再会ののち、お約束のトラブルを乗り越え、共に酒を飲んだ。

それだけで充分だ。焦《あせ》る必要はない。八年待って、待つことには慣れた。

そう自分に言い聞かせ、渋谷《しぶや》駅へと続く道を辿る神蔵の顔は、近年まれに見るほどに穏やかで、澄み渡っていた。

あとがき

はじめましての方も、いつもありがとうございますの方も、こんにちは、岩本薫です。このたびは、タフシリーズをお手に取ってくださいまして、ありがとうございました。

この「タフ」というシリーズに関しては、ものすごく思い入れがあるので、たくさん語りたいのですが、まずは簡単なご説明から。

タフシリーズは、以前ビブロスから「TOUGH!」というタイトルで刊行されておりましたが、ビブロス倒産により絶版となり、長らく皆様にお読みいただくことが困難な状態にありました。エビリティ以降に私を知った読者様から、折に触れて「復刊はしないのですか?」というお問い合わせをいただいていたのですが、シリーズ全七冊というボリュームがあり、また出し直すならば全面改稿したいという私の希望もあって、なかなか実現にいたりませんでした。ですがようやく、タフシリーズのためのまとまった時間を作ることができまして、こうしてふたたび皆様に読んでいただける機会を得た次第です。

全七冊のうち、本編が五冊、番外編が二冊ありますが、まずは本編五冊が連続刊行になります。本作「タフ1　Troublemaker」と「タフ2　Valentine Kids」が今月同時発売で、以降月一冊の刊行ペースで十月まで続きます。四ヶ月連続ですね。

タフは私にとって初めて書いたBL作品であり、初投稿作であり、初雑誌掲載作であり、初のシリーズ作品です。思い入れは半端なくありましたが、経年による時代背景の変化など、このシリーズが事件ものであるという特性もあって、そのまま出版するわけにはいきませんでした。どのみち手を加えるのであれば、中途半端はやめて、現代社会に即した作品に完全リニューアルしよう！　というわけで全編にわたって手を入れ、大袈裟ではなく、新作書き下ろしと言っても差し支えのないレベルの書き直しをしました。旧ヴァージョンをご存じない皆様には完全新作としてお楽しみいただければうれしいですし、ご存じの皆様には、新生「タフ」として、旧作との違いなどもお楽しみいただけたらとてもうれしいです。もちろん、新たに書き下ろしもしています。「タフ」の書き下ろしをするのは、本当にひさしぶりだったのですが、びっくりするほどスムーズに書き上がり、やはりこのシリーズは自分の原点なのだなあと実感しました。

さて、新生「タフ」ということで、イラストも一新しております。キャラクターに新しい息吹をもたらしてくださったのは、高崎ぼすこ先生です。一、二巻は、BL小説の表紙としてはめずらしい一人イラストになっています。この、響とシンゴのカラーを見たとき、私の中で、これまで持っていた「タフ」の世界観が一新されたような感覚がありました。コールドスリープしていた彼らが、長い眠りから覚め、ふたたび現代で呼吸をし始めた瞬間だった気がします。一、二巻では別々に描かれている彼らの関係が、今後どう変化していくのか、「危険な刑事と超絶美人トラブルメイカーの恋」を、どうか最後まで見届けてください。よろしくお願いいたします。

まずは二巻でお会いしましょう。

二〇一六年七月　　　　岩本　薫

◆初出一覧◆
タフ　Act.1　トラブルメイカー　／小説ビーボーイ（1997年11月号）掲載
タフ　Act.2　無敵のヴィーナス／小説ビーボーイ（1998年10月号）掲載
オオカミとサル　／書き下ろし
※上記は『TOUGH!』からの再収録にあたり、改題・大幅改稿し、下記作品を追加収録しました。
トラブルメイカー 神蔵Version　／書き下ろし

ビーボーイノベルズをお買い上げいただきありがとうございます。
この本を読んでのご意見・ご感想をお待ちしております。

〒162-0825 東京都新宿区神楽坂6-46
ローベル神楽坂ビル５Ｆ
株式会社リブレ内 編集部

リブレ公式サイトでは、アンケートを受け付けております。
サイトにアクセスし、TOPページの「アンケート」から該当アンケートを選択してください。
ご協力をお待ちしております。

リブレ公式サイト http://libre-inc.co.jp

BBN B●BOY NOVELS

タフ1 Troublemaker

２０１６年７月２０日 第１刷発行

著者――岩本 薫

発行者――太田歳子

発行所――株式会社リブレ

〒１６２-０８２５
東京都新宿区神楽坂６-４６ローベル神楽坂ビル
営業 電話０３(３２３５)７４０５ FAX０３(３２３５)０３４２
編集 電話０３(３２３５)０３１７

印刷所――株式会社光邦

定価はカバーに明記してあります。
乱丁・落丁本はおとりかえいたします。

この書籍の用紙は全て日本製紙株式会社の製品を使用しております。

Printed in Japan
ISBN 978-4-7997-3003-4